dtv

Ystad, 2002. Kurt Wallander will endlich seinen großen Traum verwirklichen: ein Haus auf dem Land, dazu einen Hund. Und vielleicht sogar eine Frau. Sein Kollege Martinsson vermittelt ihm ein interessantes Wohnobjekt, ein altes Bauernhaus in Löderup. Wallander findet durchaus Gefallen daran – wäre da nicht das Skelett einer Frauenhand, über das er im Garten stolpert. Die Leiche, so stellt die Gerichtsmedizin fest, liegt seit bald sechzig Jahren dort, und falls es sich um Mord handelt, ist dieser längst verjährt. Doch der rätselhafte Fund lässt Wallander ebenso wenig los wie das Haus, und er stellt Recherchen an. Stück für Stück entsteht ein Bild dessen, was im Jahr 1944 geschehen ist, und am Ende sitzt er einem Mörder Aug in Auge gegenüber …

Henning Mankell, geboren 1948 in Härjedalen, ist einer der angesehensten und meistgelesenen schwedischen Schriftsteller, vor allem bekannt durch seine Wallander-Krimis. Er lebt als Theaterregisseur und Autor abwechselnd in Schweden und in Maputo/Mosambik. Seine Taschenbücher erscheinen bei dtv.

Henning Mankell

Mord im Herbst

Ein Fall für Kurt Wallander

Mit einem Nachwort
des Autors

Aus dem Schwedischen
von Wolfgang Butt

dtv

Ausführliche Informationen über unsere Autoren und Bücher
www.dtv.de

Besuchen Sie Kurt Wallander im Internet:
www.wallander.de

MIX
Papier aus verantwortungsvollen Quellen
FSC® C019821

Ungekürzte Ausgabe 2015
dtv Verlagsgesellschaft mbH & Co. KG, München
Lizenzausgabe mit Genehmigung des Paul Zsolnay Verlags

Published by agreement with Leopard Förlag, Stockholm and
Leonhardt & Høier Literary Agency A/S, Kopenhagen
Titel der schwedischen Erstausgabe: ›Handen‹

Umschlagkonzept: Balk & Brumshagen
Umschlaggestaltung nach einem Entwurf und
unter Verwendung eines Fotos von
Hauptmann & Kompanie Werbeagentur, Zürich
Satz: Eva Kaltenbrunner-Dorfinger, Wien
Druck und Bindung: Druckerei C.H.Beck, Nördlingen
Gedruckt auf säurefreiem, chlorfrei gebleichtem Papier
Printed in Germany · ISBN 978-3-423-21598-5

Mord im Herbst

1.

Als Kurt Wallander am Samstag, dem 26. Oktober 2002, aufwachte, war er noch sehr müde. Er hatte eine anstrengende Woche hinter sich, weil viele der Kollegen im Polizeipräsidium von Ystad an einer schweren Erkältung litten. Wallander, der sich sonst als einer der Ersten ansteckte, gehörte diesmal aus unerfindlichen Gründen zu denen, die verschont geblieben waren. Da es im Lauf der Woche in Svarte eine brutale Vergewaltigung und in Ystad mehrere Fälle von schwerer Körperverletzung gegeben hatte, war Wallander nahezu ununterbrochen im Einsatz gewesen.

Bis tief in die Nacht hatte er am Schreibtisch gesessen. Der Kopf war ihm zu schwer, um weiterzuarbeiten, aber er hatte auch keine Lust, nach Hause in die Mariagatan zu gehen. Draußen wehte ein böiger Wind. Dann und wann ging jemand auf dem Korridor an seinem Zimmer vorüber. Wallander hoffte, dass niemand klopfen würde. Er wollte seine Ruhe haben.

Ruhe wovor?, dachte er manchmal. Vielleicht will ich hauptsächlich meine Ruhe vor mir selbst haben. Vor der zunehmenden Lustlosigkeit, die mir zu schaffen macht und von der ich niemandem erzähle.

Herbstlaub wirbelte gegen sein Fenster. Einen Augenblick überlegte er, ob er den ihm noch zustehenden Urlaub nehmen und eine Last-Minute-Reise nach Mallorca oder sonst wohin buchen sollte. Doch er schob den Gedanken gleich wieder von sich. Auch wenn auf einer spanischen Insel die Sonne schiene, würde er nicht zur Ruhe kommen.

Er blickte auf seinen Terminkalender. Zweitausendzwei.

Oktober. Seit über dreißig Jahren war er schon Polizist. Vom Streifenpolizisten in den Straßen von Malmö war er zum erfahrenen und respektierten Kriminalbeamten aufgestiegen, dem bei vielen schwierigen Verbrechensermittlungen das Glück zur Seite gestanden hatte. Auch wenn er mit seinem Privatleben nicht zufrieden war, konnte er auf jeden Fall als Polizist zufrieden sein. Er hatte seine Arbeit getan und vielleicht dazu beigetragen, dass die Bürger sich sicherer fühlen konnten.

Ein auf der Straße vorbeifahrender Wagen beschleunigte mit quietschenden Reifen. Junger Mann am Steuer, dachte Wallander. Er weiß bestimmt, dass er am Polizeipräsidium vorbeifährt. Natürlich hat er es darauf abgesehen, uns zu ärgern. Aber bei mir schafft er das nicht, nicht mehr.

Wallander trat auf den Korridor. Er war leer. Hinter einer verschlossenen Tür erklang schwaches Lachen. Wallander holte sich eine Tasse Tee und ging zurück in sein Zimmer. Der Tee schmeckte komisch, und als Wallander den Beutel betrachtete, sah er, dass er einen süßlichen Jasmintee gegriffen hatte. Er mochte ihn nicht. Er warf den Teebeutel in den Papierkorb und goss den Tee in einen Blumentopf mit einer Orchidee, die seine Tochter Linda ihm geschenkt hatte.

Er dachte plötzlich daran, wie sich alles in den vielen Jahren, seit er Polizist geworden war, verändert hatte. Als er angefangen hatte, Streife zu gehen, gab es noch große Unterschiede zwischen dem, was in einer Stadt wie Malmö, und dem, was in Kleinstädten wie Ystad passierte. Diese Unterschiede gab es kaum noch. Wenn man nur an die Drogenkriminalität dachte! Als er nach Ystad gekommen war, fuhren die Drogenabhängigen nach Kopenhagen, um sich ihre Drogen zu beschaffen. Heute konnten sie alles in Ystad kaufen, und er wusste auch, dass im Internet eine explosionsartige Zunahme zu verzeichnen war.

Wallander sprach viel mit seinen Kollegen darüber, dass es in den letzten Jahren wesentlich schwerer geworden war,

Polizist zu sein. Aber als er jetzt in seinem Büro saß und das wirbelnde Herbstlaub draußen sah, fragte er sich, ob es wirklich stimmte. War es nicht eher eine Ausflucht, um nicht zur Kenntnis nehmen zu müssen, wie sich die Gesellschaft und mit ihr die Kriminalität verändert hatte?

Niemand hat mir je vorgeworfen, faul zu sein, dachte Wallander. Aber vielleicht bin ich es ja doch oder bin auf dem besten Weg, es zu werden.

Er stand auf, nahm seine Jacke, die er über den Besucherstuhl geworfen hatte, knipste das Licht aus und verließ das Zimmer. Seine Gedanken und unbeantworteten Fragen blieben darin zurück. Durch die dunklen Straßen fuhr er nach Hause. Auf dem Asphalt glänzte der Regen. Sein Kopf war plötzlich vollkommen leer.

Am nächsten Tag hatte er frei. Im Halbschlaf hörte er entfernt in der Küche das Telefon klingeln. Seine Tochter Linda, die im vergangenen Herbst als Polizistin in Ystad zu arbeiten begonnen hatte, lebte noch in seiner Wohnung. Eigentlich hätte sie längst ausziehen sollen, doch sie hatte noch keinen Mietvertrag für die ihr zugesagte Wohnung. Er hörte, dass sie sich meldete, und dachte, dass er sich nicht zu kümmern brauchte. Am Vortag war Martinsson gesundgeschrieben worden und hatte versprochen, Wallander nicht zu stören.

Sonst rief ihn niemand an, schon gar nicht am frühen Sonntagmorgen. Dagegen führte Linda tagtäglich endlose Gespräche über ihr Handy. Er hatte darüber nachgedacht. Er selbst hatte ein kompliziertes Verhältnis zu Telefonen. Jedes Mal, wenn es klingelte, fuhr er zusammen, im Unterschied zu Linda, die große Teile ihres Alltags über das Telefon abzuwickeln schien. Der Grund war schlicht und einfach der, dass sie verschiedenen Generationen angehörten.

Die Schlafzimmertür ging auf. Er fuhr sofort aus der Haut.

»Kannst du nicht anklopfen?«

»Aber ich bin's doch nur.«

»Wäre es dir vielleicht recht, wenn ich die Tür zu deinem Zimmer aufreißen würde, ohne anzuklopfen?«

»Ich schließe meine Tür ab. Am Telefon will dich jemand sprechen.«

»Mich ruft nie jemand an.«

»Jetzt tut es aber jemand.«

»Wer ist es denn?«

»Martinsson.«

Wallander setzte sich im Bett auf. Sie betrachtete missbilligend seinen nackten Bauch. Aber sie sagte nichts. Es war Sonntag. Sie hatten eine Absprache getroffen, dass, solange sie in seiner Wohnung lebte, die Sonntage ein Freiraum waren, wo keiner den anderen kritisieren durfte. Die Sonntage waren zu Tagen der Freundlichkeit deklariert worden.

»Was will er?«

»Das hat er nicht gesagt.«

»Ich habe heute frei.«

»Ich weiß nicht, was er will.«

»Kannst du nicht sagen, dass ich nicht da bin?«

»Herrgott!«

Sie machte kehrt und verschwand in ihr Zimmer. Wallander schlurfte in die Küche und nahm den Hörer auf. Draußen regnete es. Aber die Wolken waren nicht sehr dicht, er ahnte blaue Tupfer am Himmel.

»Ich dachte, ich hätte heute einen freien Tag!«

»Das hast du auch«, entgegnete Martinsson.

»Was ist passiert?«

»Nichts.«

Wallander spürte, dass er ärgerlich wurde. Rief Martinsson an, ohne einen Grund zu haben? Das sah ihm nicht ähnlich.

»Und warum rufst du an? Ich schlafe.«

»Warum hörst du dich so wütend an?«

»Ich bin wütend.«

»Ich glaube, ich habe vielleicht ein Haus für dich. Auf dem Land. Nicht weit von Löderup.«

Wallander dachte seit vielen Jahren daran, seine Wohnung in der Mariagatan im Zentrum von Ystad aufzugeben und aufs Land zu ziehen. Er würde sich einen Hund anschaffen. Nachdem sein Vater vor einigen Jahren gestorben war und Linda ausziehen wollte, hatte er immer häufiger das Bedürfnis, sein Leben zu verändern. Mehrere Male hatte er sich Häuser angesehen, die von Maklern angeboten wurden, aber er hatte nie das Richtige gefunden. Ein paarmal hatte er das Gefühl gehabt, fast am Ziel zu sein, aber dann war der Preis unerschwinglich gewesen. Sein Gehalt und seine Ersparnisse reichten nicht aus. Als Polizeibeamter konnte er keine größeren Summen zurücklegen.

»Bist du noch da?«

»Ich bin noch da. Erzähl mir ein bisschen mehr.«

»Ich kann gerade nicht. Bei Åhléns ist anscheinend heute Nacht eingebrochen worden. Aber wenn du vorbeikommst, kann ich dir mehr erzählen. Und ich habe die Schlüssel hier.«

Martinsson legte auf. Linda kam in die Küche und holte sich eine Tasse Kaffee. Sie sah ihn fragend an und goss ihm dann auch eine Tasse ein. Sie setzten sich an den Küchentisch.

»Musst du arbeiten?«

»Nein.«

»Was wollte er dann?«

»Mir ein Haus zeigen.«

»Er wohnt doch in einem Reihenhaus. Wolltest du nicht aufs Land?«

»Du hörst mir nicht zu. Er will mir ein Haus zeigen. Nicht sein Haus.«

»Was für ein Haus denn?«

»Ich weiß nicht. Willst du mitkommen?«

Sie schüttelte den Kopf.

»Ich habe was anderes vor.«

Er fragte nicht weiter nach. In dieser Hinsicht glich sie ihm. Sie erklärte nicht mehr als nötig. Eine Frage, die nicht gestellt wurde, verlangte auch nicht nach einer Antwort.

2.

Kurz nach zwölf ging Wallander ins Präsidium. Als er auf die Straße trat, war er einen Moment unschlüssig, ob er den Wagen nehmen sollte. Doch sein Gewissen meldete sich sofort. Er hatte zu wenig Bewegung. Außerdem stand Linda bestimmt am Fenster und sah ihm nach. Würde er den Wagen nehmen, bekäme er es nachher von ihr zu hören.

Er ging zu Fuß.

Wir sind wie ein altes Ehepaar, dachte er. Oder ein Polizeibeamter in mittleren Jahren mit einer viel zu jungen Frau. Zuerst war ich mit ihrer Mutter verheiratet. Jetzt ist es, als ob meine Tochter und ich in einer absonderlichen Ehe lebten. In aller Ehrbarkeit. Aber in ständig wachsender Irritation.

Martinsson saß in seinem Zimmer, als er in das verwaiste Polizeipräsidium kam. Während der Kollege ein Telefongespräch beendete, das von einem verschwundenen Traktor zu handeln schien, nahm Wallander eine neue Verordnung der Reichspolizeibehörde vom Tisch und überflog sie. Es ging um die Anwendung von Pfefferspray. In der letzten Zeit waren in Südschweden Versuche durchgeführt worden, deren Auswertung ergeben hatte, dass die Waffe sich ausgezeichnet zur ersten Abwehr gewalttätiger Personen eignete.

Wallander fühlte sich auf einmal alt. Er war ein miserabler Pistolenschütze und hatte sich immer vor Situationen gefürchtet, in denen er scharf schießen müsste.

Es war vorgekommen, und er hatte vor einigen Jahren in Notwehr einen Mann erschossen. Aber die Vorstellung, sein privates Waffenarsenal um bösartige kleine Spraydosen zu erweitern, sagte ihm wenig zu.

Ich werde allmählich sogar zu alt für mich selbst, dachte er. Zu alt für mich selbst und zu alt für meinen Beruf.

Martinsson knallte den Hörer auf die Gabel und sprang auf. Wallander erinnerte sich plötzlich an den jungen Mann, der vor ungefähr fünfzehn Jahren bei der Polizei in Ystad angefangen hatte. Schon damals hatten Martinsson Zweifel überkommen, ob er zum Polizeibeamten geeignet war. Mehrmals im Verlauf der Jahre hätte er beinahe aufgehört. Aber er war doch jedes Mal geblieben. Jetzt war er nicht mehr jung. Aber er hatte nicht zugenommen wie Wallander, sondern war magerer als früher. Die größte Veränderung bestand darin, dass Martinssons dichtes braunes Haar verschwunden war und er allmählich eine Glatze bekommen hatte.

Martinsson reichte ihm ein Schlüsselbund. Die meisten Schlüssel waren altertümlich.

»Das Haus gehört einem Cousin meiner Frau«, sagte Martinsson. »Er ist schon sehr alt, das Haus steht leer. Er hat sich bis zuletzt gesträubt und wollte nicht verkaufen. Aber jetzt ist er in einem Seniorenheim untergekommen und hat eingesehen, dass er da wohl nicht mehr auszieht. Er hatte mich schon vor langer Zeit gebeten, mich um den Verkauf des Hauses zu kümmern. Jetzt ist es so weit. Ich habe sofort an dich gedacht.«

Martinsson zeigte auf seinen abgewetzten und wackligen Besucherstuhl. Wallander setzte sich.

»Ich habe aus verschiedenen Gründen an dich gedacht«, fuhr Martinsson fort. »Zum einen weiß ich, dass du ein Haus auf dem Land suchst. Aber auch wegen der Lage.«

Wallander wartete auf die Fortsetzung. Martinsson hatte die lästige Angewohnheit, Erklärungen in die Länge zu ziehen und einfache Sachverhalte kompliziert darzustellen.

»Das Haus liegt am Vretsvägen draußen in Löderup«, sagte Martinsson.

Wallander wusste, was Martinsson meinte.

»Welches Haus ist es?«

»Der Verkäufer heißt Karl Eriksson.«

Wallander dachte nach.

»Ist das der, der früher die Schmiede neben der Tankstelle hatte?«

»Genau.«

Wallander stand auf und nahm das Schlüsselbund.

»An dem Haus bin ich mehr als einmal vorbeigefahren. Vielleicht liegt es näher am Haus meines Vaters, als gut für mich ist.«

»Fahr hin und sieh es dir an.«

»Was will er denn dafür haben?«

»Er hat es mir überlassen, den Preis zu bestimmen. Aber weil meine Frau das Geld bekommt, muss ich natürlich den Marktpreis ansetzen.«

Wallander blieb in der Tür stehen. Ihm kamen plötzlich Zweifel.

»Kannst du nicht einen ungefähren Preis sagen? Es bringt ja nichts, wenn ich hinausfahre und mir das Haus anschaue, und dann ist es so teuer, dass ich es mir doch nicht leisten kann.«

»Fahr hin«, sagte Martinsson. »Du kannst es dir leisten. Wenn du willst.«

3.

Wallander ging zurück zur Mariagatan. Er fühlte sich gelöst und zugleich nachdenklich. Als er ins Auto stieg, begann es heftig zu regnen. Er verließ Ystad auf dem Österleden und überlegte, wie viele Jahre es her war, seit er diesen Weg genommen hatte, um seinen Vater zu besuchen.

Es dauerte eine Weile, bis ihm das Jahr einfiel. Es war lange her. Seit ihrer letzten gemeinsamen Reise nach Rom waren schon einige Jahre vergangen.

Er dachte daran, wie er seinem Vater gefolgt war, der sich davongeschlichen hatte, um allein einen Spaziergang in Rom zu machen. Wallander schämte sich noch immer, dem Vater nachspioniert zu haben, um zu sehen, wohin er wollte. Dass sein Vater alt und nicht mehr ganz klar im Kopf gewesen war, konnte nicht als Entschuldigung für die Überwachung herhalten. Warum hatte er ihn nicht in Ruhe gelassen, als er sich in Rom in seinen Erinnerungen bewegte? Warum war er ihm gefolgt? Es war zu einfach, zu sagen, dass er sich Sorgen gemacht hätte, es könnte dem Vater etwas zustoßen.

Wallander erinnerte sich gut an das Gefühl von damals. Er hatte sich keine besonderen Sorgen gemacht. Er war ganz einfach neugierig gewesen.

Es war, als ob die Zeit schrumpfte. Es hätte gestern gewesen sein können, dass er auf dieser Straße fuhr, um seinen Vater zu besuchen, mit ihm Karten zu spielen, einen Schnaps zu trinken und dann einen Streit über etwas vollkommen Bedeutungsloses anzufangen.

Der Alte fehlt mir, dachte Wallander. Schließlich war er der einzige Vater, den ich habe. Oft war er ziemlich ätzend und konnte mich zur Weißglut bringen. Aber er fehlt mir. Daran führt kein Weg vorbei.

Er nahm die vertraute Abfahrt und erkannte das Dach des Hauses, das seinem Vater gehört hatte, bog aber nicht auf den Zufahrtsweg ein, sondern fuhr in die entgegengesetzte Richtung weiter.

Nach zweihundert Metern hielt er an und stieg aus. Der Regen hatte nachgelassen.

Karl Erikssons Haus lag in einem verwahrlosten Garten. Es war ein alter Schonenhof mit ehemals zwei Flügeln. Jetzt war der eine verschwunden, vielleicht war er abgebrannt, vielleicht abgerissen. Das Haus mit dem Garten lag einsam, wie hingeworfen, auf dem Acker. Weit entfernt hörte Wallander einen Traktor. Der Boden war gepflügt und wartete auf die Winterdecke.

Wallander öffnete das knirschende Tor und betrat den Hofplatz. Der Kiesweg war wohl seit Jahren nicht mehr geharkt worden. Eine Krähenschar protestierte in einer hohen Kastanie direkt vor dem Haus. Vielleicht war es ein von alters her gehegter und gepflegter Baum. Wallander hielt inne und lauschte. Er musste die Geräusche mögen, die ein Haus umgaben, um überlegen zu können, ob er darin leben wollte. Wenn das Geräusch des Windes oder die Stille ihm nicht richtig vorkam, konnte er ebenso gut gleich wieder kehrtmachen und wegfahren. Aber was er hörte, machte ihn ruhig. Es war die Stille des Herbstes, des schonischen Herbstes in Erwartung des Winters.

Wallander ging um das Haus herum. Auf der Rückseite standen ein paar Apfelbäume, Johannisbeersträucher und einige verfallene Steinmöbel. Er streifte durchs Herbstlaub, stolperte über etwas auf dem Boden, vielleicht waren es die Reste einer alten Harke, und kehrte dann zurück zur Vorderseite des Hauses. Er tippte, welcher Schlüssel der richtige sein mochte, steckte ihn ins Schlüsselloch und drehte um.

Drinnen roch es dumpf und muffig. Ein herber Altmännergeruch. Er ging durch die Zimmer. Die Möbel waren altmodisch, an den Wänden hingen Bilder mit Sprichwörtern. Ein alter Fernsehapparat stand in dem Zimmer, das wohl das Schlafzimmer des alten Mannes gewesen war. Wallander ging in die Küche. Der Kühlschrank war abgeschaltet. In der Spüle lag eine halb verweste Maus. Er stieg die Treppe ins Obergeschoss hinauf, das lediglich ein Dachboden ohne Einrichtung war. Ihm war klar, dass das Haus viel Arbeit verlangen würde. Und es würde nicht billig werden, selbst wenn er vieles selbst machen konnte.

Er ging wieder nach unten, setzte sich vorsichtig auf ein altes Sofa und wählte die Nummer des Polizeipräsidiums. Es dauerte eine ganze Weile, bis Martinsson sich meldete.

»Wo bist du?«, fragte Martinsson.

»Früher fragte man, wie es den Leuten geht«, antwortete Wallander. »Heute fragt man, wo sie sich aufhalten. Unsere Begrüßungsformeln haben wirklich eine Revolution durchgemacht.«

»Rufst du an, um mir das zu sagen?«

»Ich sitze in dem Haus.«

»Was findest du?«

»Ich weiß nicht. Das Haus kommt mir fremd vor.«

»Es ist ja das erste Mal, dass du da bist. Natürlich ist es fremd.«

»Ich möchte gern wissen, welchen Preis ihr euch vorgestellt habt. Ich will nicht anfangen, mir Gedanken zu machen, bevor ich es weiß. Dir ist wohl klar, dass hier eine Menge zu tun ist.«

»Ich bin da gewesen. Ich weiß.«

Wallander wartete. Er hörte Martinsson atmen.

»Es ist gar nicht einfach, mit guten Freunden Geschäfte zu machen«, sagte Martinsson schließlich. »Das wird mir jetzt klar.«

»Betrachte mich als Feind«, entgegnete Wallander heiter. »Aber ruhig als armen Feind.«

Martinsson lachte.

»Wir hatten an einen Spottpreis gedacht. 500 000. Nicht mehr und nicht weniger.«

Wallander hatte sich schon ausgerechnet, dass er höchstens 550 000 bezahlen konnte.

»Das ist zu teuer«, sagte er.

»Du spinnst wohl. Ein Haus in Österlen.«

»Es ist eine Bruchbude.«

»Wenn man ein paar Hunderttausend investiert, ist es ein ganzes Stück mehr wert als eine Million.«

»Ich kann 475 000 bezahlen.«

»Nein.«

»Dann vergessen wir die Sache.«

Wallander beendete schnell das Gespräch. Dann blieb er mit dem Telefon in der Hand stehen und wartete. Er zählte die Sekunden. Es vergingen vierundzwanzig, bis Martinsson wieder anrief.

»Sagen wir 490 000.«

»Dann geben wir uns telefonisch die Hand darauf«, antwortete Wallander. »Richtiger gesagt, ich nehme es per Handschlag für vierundzwanzig Stunden. Ich muss mit Linda reden.«

»Tu das. Bis heute Abend.«

»Warum denn diese Hast? Ich brauche vierundzwanzig Stunden.«

»Die bekommst du. Aber nicht mehr.«

Sie beendeten das Gespräch. Wallander verspürte einen Anflug von Freude. War er jetzt kurz davor, den langjährigen Traum von einem Haus auf dem Lande zu verwirklichen? Nicht weit entfernt vom Haus seines Vaters, in dem er so viel Zeit verbracht hatte?

Er lief die Treppe hinauf und ging noch einmal durchs Haus. In Gedanken begann er, Wände einzureißen, neue elektrische Leitungen zu legen, zu tapezieren und zu möblieren. Er hatte Lust, Linda anzurufen, beherrschte sich jedoch.

Es war zu früh, um zu berichten. Er war noch nicht ganz überzeugt. Erneut ging er durchs Erdgeschoss, blieb hier und da stehen und lauschte, betrat das nächste Zimmer. An den Wänden hingen verblasste Fotografien der Menschen, die einmal hier gelebt hatten. Zwischen zwei Fenstern im größten Zimmer hing eine kolorierte Luftaufnahme des Hofes.

Er dachte, dass die ehemaligen Bewohner noch in den Wänden atmeten. Aber es gibt keine Gespenster, sagte er sich. Es gibt keine, weil ich nicht an Gespenster glaube.

Er trat auf den Hof hinaus. Der Regen hatte aufgehört. Die Wolken verzogen sich. Er betätigte ein paar Mal den Schwengel einer Pumpe, die mitten auf dem Hof stand. Es knirschte und rasselte, aber das Wasser, das kam, war zunächst braun, doch dann vollkommen klar. Er nahm einen Schluck davon und sah in Gedanken schon einen Hund, der aus einer Schale neben ihm Wasser trank.

Er machte noch eine Runde ums Haus und kehrte dann zu seinem Wagen zurück.

Erst als er die Tür schon geöffnet hatte, hielt er inne. Ihm war ein Gedanke gekommen. Zunächst konnte er ihn nicht klar umreißen und runzelte die Stirn. Etwas hatte in ihm klick gemacht. Er hatte etwas gesehen. Etwas, was nicht in Ordnung war.

Er wandte sich noch einmal zum Haus um. Etwas hatte sich in seiner Erinnerung festgesetzt.

Dann kam er darauf. Er war auf der Rückseite des Hauses über etwas gestolpert, das auf dem Boden gelegen hatte. Eine alte Harke oder vielleicht eine Baumwurzel. Es hatte ihn innehalten lassen.

Er hatte etwas gesehen. Ohne zu sehen.

4.

Wallander kehrte zur Rückseite des Hauses zurück. Zuerst war er unsicher, wo er gestolpert war. Er verstand auch nicht, warum es ihm plötzlich wichtig war, zu untersuchen, worüber er gestolpert war.

Er suchte den Boden ab. Bald hatte er gefunden, was er suchte. Lange starrte er auf das Ding, das aus der Erde ragte. Erst stand er reglos, dann umkreiste er den Gegenstand, der vor ihm lag. Schließlich ging er in die Hocke. Seine Knie knackten. Es bestand kein Zweifel daran, was dort, halb begraben, vor ihm lag. Es waren nicht die Reste einer alten Harke. Es war auch keine Baumwurzel.

Es war eine skelettierte Hand. Die Knochen waren braun, aber er war sicher. Aus der braunen Erde ragten die Reste einer menschlichen Hand.

Wallander richtete sich auf. Die Alarmglocke, die anschlug, als er gerade in seinen Wagen steigen wollte, hatte ihn nicht genarrt.

Er blickte sich um. Es waren keine anderen Knochenreste zu sehen. Nur die aus der Erde ragende Hand. Er beugte sich nieder und stocherte vorsichtig im Boden. Lag darunter ein ganzes Skelett, oder war es nur diese Hand? Er vermochte es nicht zu sagen.

Die Wolken waren abgezogen. Die Oktobersonne wärmte zaghaft. In der hohen Kastanie zeterten die Krähen wie bei seiner Ankunft. Die ganze Situation kam Wallander unwirklich vor. Er war an einem Sonntag hier herausgefahren, um ein Haus zu besichtigen, das er vielleicht kaufen würde. Zufällig stolpert er im Garten über die Hand eines Toten.

Wallander schüttelte zweifelnd den Kopf. Dann rief er im Polizeipräsidium an. Wieder dauerte es eine ganze Weile, bis Martinsson sich meldete.

»Weiter kann ich mit dem Preis nicht heruntergehen. Meine Frau findet, dass ich schon viel zu gutmütig gewesen bin.«

»Es geht nicht um den Preis.«

»Worum denn dann?«

»Komm her.«

»Ist was passiert?«

»Komm her. Tu es einfach. Komm.«

Martinsson begriff, dass es sich um etwas Wichtiges handelte. Er stellte keine weiteren Fragen. Wallander ging im Garten auf und ab und untersuchte den Boden, während er darauf wartete, dass der Polizeiwagen auftauchte. Es dauerte neunzehn Minuten. Martinsson war schnell gefahren. Wallander ging ihm zur Vorderseite des Hauses entgegen. Martinsson wirkte besorgt.

»Was ist denn passiert?«

»Ich bin gestolpert.«

Martinsson sah ihn verblüfft an.

»Und deshalb rufst du an und lässt mich kommen?«

»Gewissermaßen ja. Ich möchte, dass du dir ansiehst, worüber ich gestolpert bin.«

Sie gingen hinters Haus. Wallander zeigte auf die Knochen. Martinsson zuckte zusammen.

»Was ist das, verdammt noch mal?«

»Es sieht aus wie eine Hand. Ob es Teil eines ganzen Skeletts ist, kann ich natürlich nicht sagen.«

Martinsson starrte ungläubig auf die Hand.

»Ich begreife nichts.«

»Eine Hand ist eine Hand. Eine tote Hand ist die Hand eines Toten. Weil dies hier kein Friedhof ist, kann etwas nicht stimmen.«

Sie standen reglos da und betrachteten die Hand. Wallander hätte gern gewusst, was Martinsson dachte. Dann fragte er sich, was er selbst dachte.

Der Gedanke an den Kauf dieses Hauses hatte sich jedenfalls verflüchtigt.

5.

Zwei Stunden später war der Hof abgesperrt, und die Spurensicherung hatte ihre Arbeit aufgenommen. Martinsson hatte versucht, Wallander nach Hause zu schicken, weil es sein freier Tag war. Aber Wallander blieb, sein Sonntag war nicht mehr zu retten.

Er fragte sich, was geschehen wäre, wenn er nicht über die Hand gestolpert wäre. Wenn er das Haus gekauft und erst später die menschlichen Knochen entdeckt hätte. Wie würde er reagieren, wenn sich zeigte, dass ein ganzes Skelett in der Erde lag?

Ein Polizeibeamter kauft von einem Kollegen ein Haus und entdeckt, dass irgendwann ein schweres Verbrechen auf dem Hof begangen worden ist.

Er sah Zeitungen mit Kriegsschlagzeilen vor sich.

Die Gerichtsmedizinerin aus Lund hieß Stina Hurlén und war nach Wallanders Überzeugung viel zu jung für ihre Aufgabe. Aber natürlich sagte er nichts. Zu ihren Vorzügen gehörte jedoch, dass sie sehr gewissenhaft war.

Martinsson und Wallander warteten, während Hurlén eine erste Untersuchung vornahm. Im Hintergrund war die gereizte Stimme Nybergs, des Chefs der Spurensicherung, zu hören. Wallander meinte, diese gereizte Stimme schon tausendmal gehört zu haben. Diesmal fehlte eine Abdeckplane.

Sie hat immer gefehlt, dachte er. In all meinen Jahren als Polizist hat immer eine verfluchte Abdeckplane gefehlt.

Stina Hurlén richtete sich auf.

»Es ist auf jeden Fall eine menschliche Hand. Die Hand eines Erwachsenen. Keines Kindes.«

»Wie lange hat sie dort gelegen?«

»Das weiß ich nicht.«

»Aber irgendetwas können Sie doch sagen?«

»Sie wissen, dass ich nicht gern Vermutungen anstelle. Außerdem bin ich keine Spezialistin für Knochenreste.«

Wallander betrachtete sie schweigend.

»Wir stellen Vermutungen an«, sagte er schließlich. »Ich tue es, und Sie tun es. Weil wir nichts wissen. Aber die Vermutungen können uns helfen, voranzukommen. Auch wenn sie sich später als falsch erweisen.«

Stina Hurlén überlegte.

»Also vermute ich mal«, sagte sie. »Es kann völlig falsch sein. Aber ich glaube, diese Hand liegt hier schon lange.«

»Warum glauben Sie das?«

»Ich weiß es nicht. Ich glaube es nicht einmal. Ich rate nur. Vielleicht könnte man sagen, dass die Erfahrung auf Autopilot geschaltet ist.«

Wallander überließ sie ihrem Schicksal und ging hinüber zu Martinsson, der telefonierte. Er hatte einen Kaffeebecher in der Hand und hielt ihn Wallander hin. Keiner von ihnen nahm Zucker oder Milch. Wallander trank einen Schluck. Martinsson beendete sein Telefonat.

»Hurlén glaubt, dass die Hand lange in der Erde gelegen hat.«

»Hurlén?«

»Die Gerichtsmedizinerin. Hast du noch nie mit ihr zu tun gehabt?«

»Sie wechseln ja in Lund andauernd. Wo bleiben eigentlich die alten Gerichtsmediziner? Sie verschwinden einfach in einem eigenen Himmel.«

»Wohin sie auch verschwinden mögen, Hurlén glaubt jedenfalls, dass die Hand schon lange hier gelegen hat. Das kann natürlich alles und nichts bedeuten. Aber vielleicht kennst du die Geschichte dieses Hauses?«

»Nicht wirklich. Karl Eriksson, der es verkaufen will, hat es ungefähr dreißig Jahre gehabt. Aber von wem er es gekauft hat, weiß ich nicht.«

Sie gingen ins Haus und setzten sich an den Küchentisch. Wallander kam es vor, als befände er sich in einem ganz anderen Haus. Nicht in dem, das er vor einigen Stunden besichtigt hatte, um es vielleicht zu kaufen.

»Wir müssen wahrscheinlich den ganzen Garten umgraben«, sagte Martinsson. »Aber zunächst wollen sie anscheinend eine neue Maschine testen, eine Art Detektor für menschliche Überreste. Ungefähr so, wie man nach Metall sucht. Nyberg hält absolut nichts davon, aber sein Chef hat darauf bestanden. Nyberg denkt bestimmt, dass er seinen Spaß haben wird, wenn das bescheuerte Gerät sich als untauglich erweist. Dann kann er auf seine altehrwürdige Art und Weise den Spaten ansetzen.«

»Und was, wenn wir nichts finden?«

Martinsson runzelte die Stirn.

»Wie meinst du das?«

»Was glaubst du? Es liegt eine Hand in der Erde. Dann sollte noch mehr hier liegen. Ein ganzer Körper. Ich meine, wie kommt eine tote Hand einfach so angeflogen? Hat eine Krähe sie irgendwo geschnappt und ausgerechnet hier im Garten fallen lassen? Wachsen Hände hier im Garten? Oder regnet es vielleicht in diesem Herbst in Löderup Hände?«

»Du hast recht«, sagte Martinsson. »Wir werden wohl mehr finden.«

Wallander blickte nachdenklich durchs Fenster in den Garten.

»Niemand weiß, was wir finden werden«, sagte er. »Vielleicht einen ganzen Friedhof? Einen alten Pestfriedhof?«

Sie traten wieder ins Freie. Martinsson diskutierte mit Nyberg und einigen Leuten von der Spurensicherung. Wallander dachte an seinen imaginären Hund, der im Moment unwirklicher schien denn je.

Schließlich fuhren Martinsson und Wallander zum Präsidium zurück, parkten ihre Wagen und gingen in Martinssons Zimmer, das unordentlicher war, als Wallander es je gesehen hatte. Vor langer Zeit war Martinsson ein ordnungsliebender, beinahe pedantischer Polizeibeamter gewesen. Jetzt lebte er in einem Chaos, in dem es einem Außenstehenden unmöglich vorkam, auch nur ein einziges Papier zu finden.

Martinsson schien seinen Gedanken gelesen zu haben.

»Hier sieht es unmöglich aus«, sagte er düster und räumte einen Papierstapel von seinem Stuhl fort. »Ich versuche, Ordnung zu halten. Aber was ich auch tue, die Papiere und Ordner stapeln sich immer höher.«

»Mir geht es ebenso«, sagte Wallander. »Als ich endlich gelernt hatte, mit einem Computer umzugehen, hoffte ich, dass die Papierstapel sich verkleinern würden. Aber passiert ist das Gegenteil.«

Wallander verstummte und starrte aus dem Fenster.

»Geh nach Hause«, sagte Martinsson. »Du hast doch heute frei. Ich habe ein schlechtes Gewissen, weil ich dich gebeten habe, dir das Haus anzusehen.«

»Es hat mir gefallen«, sagte Wallander und stand auf. »Ich mochte es, und ich war ziemlich sicher, dass Linda mir zugestimmt hätte. Ich habe mir schon vorgestellt, wie ich dich anrufen würde, um den Kauf zu bestätigen. Jetzt bin ich nicht mehr sicher.«

Martinsson begleitete ihn hinaus zur Anmeldung.

»Was haben wir gefunden?«, sagte Wallander. »Eine Hand, eine skelettierte Hand in einem Garten.«

Er brach ab, weil die Schlussfolgerung unnötig war. Sie hatten einen Mordfall zu lösen. Wenn nicht die Hand so lange dort gelegen hatte, dass weder eine Todesursache noch eine Identität mehr feststellbar waren.

»Ich ruf dich an«, sagte Martinsson. »Wenn nichts mehr passiert, sehen wir uns morgen.«

»Acht Uhr«, sagte Wallander. Dann machen wir eine Zusammenfassung. Wie ich Nyberg kenne, wird er sich da draußen die ganze Nacht um die Ohren schlagen.«

Martinsson ging zu seinem Büro zurück. Wallander setzte sich in den Wagen, überlegte es sich jedoch anders und ließ ihn stehen. Er machte einen Umweg durch die Stadt und kaufte in einem Kiosk am Bahnhof eine Abendzeitung.

Die Wolken waren wieder dichter geworden. Er spürte, dass es auch allmählich kälter wurde.

6.

Wallander öffnete die Wohnungstür und horchte. Linda war nicht zu Hause. Er machte Tee und setzte sich an den Küchentisch. Die Entdeckung der Hand hatte ihm eine Enttäuschung bereitet. Einen kurzen Augenblick während seiner Besichtigung war er überzeugt gewesen. Gerade auf dieses Haus hatte er gewartet. Auf dieses und kein anderes. Und dann verwandelte es sich in einen Tatort. Oder zumindest in einen Garten, der ein dunkles Geheimnis barg.

Ich finde nie mehr ein Haus, dachte er. Kein Haus, keinen Hund, keine neue Frau. Es bleibt alles, wie es war.

Er trank seinen Tee und legte sich aufs Bett. Weil Sonntag war, sollte er eigentlich das Laken wechseln, ein Brauch, den Linda eingeführt hatte. Aber er war zu schlapp.

Als er erwachte, waren mehrere Stunden vergangen. Vor dem Fenster war es pechschwarz. Linda war noch nicht nach Hause gekommen. Er ging in die Küche und trank Wasser. Als er das Glas auf die Spüle stellte, klingelte das Telefon im Flur.

»Wallander.«

»Nyberg hier. Wir warten.«

»Worauf?«

»Auf dich. Was denkst du denn?«

»Warum wartet ihr auf mich?«

Nyberg atmete schwer am Telefon. Wallander wurde klar, dass der Kollege müde und gereizt war.

»Hat die Vermittlung dich nicht angerufen?«

»Hier hat keiner angerufen.«

»Wie soll man verflucht noch mal vernünftige Polizeiarbeit

leisten, wenn man sich noch nicht einmal darauf verlassen kann, dass eine Mitteilung weitergeleitet wird.«

»Egal jetzt. Was ist denn passiert?«

»Wir haben einen Körper gefunden.«

»Körper oder Skelett?«

»Na, denk mal nach. Ein Skelett natürlich.«

»Ich komme.«

Wallander legte auf, nahm einen Pullover aus dem Kleiderschrank und schrieb einen Zettel, den er auf den Küchentisch legte. *Bin draußen bei der Arbeit.* Er hastete zum Polizeipräsidium, um seinen Wagen zu holen. Als er dort ankam und in der Tasche suchte, fiel ihm ein, dass er den Schlüssel zu Hause auf den Küchentisch gelegt hatte.

Für einen kurzen Moment war ihm zum Heulen zumute. Oder danach, einfach wegzugehen. Ohne sich umzudrehen. Zu gehen, um nicht wiederzukommen.

Er kam sich vor wie ein Idiot. Ein Idiot, um den es ihm fast leid tat. Dann ging er zu einem Streifenwagen und bat darum, zum Fundort hinausgefahren zu werden. Sein Selbstmitleid war verschwunden und hatte sich in Wut verwandelt. Jemand hatte es versäumt, ihm mitzuteilen, dass er nach Löderup kommen sollte.

Er lehnte sich zurück und hörte den Anrufen zu, die über den Polizeifunk kamen. Plötzlich tauchte das Bild seines Vaters in seinen Gedanken auf.

Er hatte einen Vater gehabt. Eines Tages war er nicht mehr da gewesen. Auf einmal war die Zeit, der Abstand zwischen dem lebenden Vater und der Urne, die er in eine Grube auf dem Friedhof gesenkt hatte, nahezu ausgelöscht. Als wäre es gestern gewesen. Oder als wäre es nur ein Traum.

Starke Scheinwerfer erleuchteten den Garten. Jedes Mal, wenn Wallander nachts an einen Tatort kam, an dem gearbeitet wurde, hatte er das Gefühl, einen Filmdrehort zu betreten.

Nyberg kam ihm entgegen. Er war von Kopf bis Fuß lehmverschmiert. Nybergs schmutzige Overalls waren so bekannt, dass sie sogar in einem Spot der örtlichen Neujahrsrevue vorgekommen waren.

»Ich weiß nicht, warum dir keiner Bescheid gesagt hat«, sagte er.

Wallander hob abwehrend die Hand.

»Das ist jetzt egal. Was habt ihr gefunden?«

»Das habe ich dir schon gesagt.«

»Das Skelett?«

»Genau.«

Wallander folgte Nyberg zu einer Stelle unmittelbar neben der, wo er gestolpert war. In einer etwa einen Meter tiefen Grube, die man hier ausgehoben hatte, lagen die Reste eines toten Menschen. Abgesehen von den Skelettteilen, die auf den ersten Blick intakt waren, lagen dort nur ein paar Kleiderfetzen.

Wallander ging um die Grube herum. Nyberg hustete und schnäuzte sich. Martinsson kam aus dem Haus, gähnte und betrachtete Wallander, der nichts sagte, bevor er die Runde abgeschlossen hatte.

»Wo ist Hurlén?«

»Sie war schon auf dem Heimweg«, sagte Nyberg mit ironischer Stimme. »Aber ich habe sie angerufen, als wir auf weitere Knochen gestoßen sind. Sie kommt bald zurück.«

Wallander und Martinsson gingen in die Hocke.

»Mann oder Frau?«

Es war Martinsson, der die Frage stellte. Wallander hatte zwar gelernt, dass man bei Skelettfunden die Unterscheidung, ob es sich um einen Mann oder eine Frau handelte, durch die Betrachtung des Beckens treffen konnte, aber worauf genau musste man dabei achten? Er war sich auf einmal nicht mehr sicher.

»Ein Mann«, sagte er. »Vermutlich sage ich das, weil ich hoffe, dass es einer ist.«

Martinsson betrachtete ihn fragend.

»Wieso?«

»Ich weiß nicht. Aber mir gefällt der Gedanke nicht, dass ich beinahe ein Haus gekauft hätte, wo eine tote Frau im Garten vergraben liegt.«

Seine Knie knackten, als er sich wieder aufrichtete.

»Man kann sich fragen, wieso die Hand aus der Erde gekommen ist«, sagte Wallander.

»Vielleicht wollte sie heraus, um uns zuzuwinken und uns zu verraten, dass da etwas in der Erde liegt, was nicht dahin gehört.«

Martinsson sah ein, dass seine Antwort idiotisch war. Aber Wallander reagierte nicht. Stina Hurlén trat ins Scheinwerferlicht. Ihre Gummistiefel machten ein schmatzendes Geräusch, wenn sie auf dem matschigen Boden auftrat. Sie tat das Gleiche wie Wallander, drehte eine Runde um die Grube und ging danach in die Hocke.

»Mann oder Frau?«, fragte Wallander. »Frau«, erwiderte Stina Hurlén. »Mit Sicherheit eine Frau. Aber fragen Sie mich nicht nach dem Alter oder nach sonst etwas. Ich bin zu müde, um Vermutungen anzustellen.«

»Nur eins noch«, sagte Martinsson. »Vorhin waren Sie der Meinung, dass die Hand lange in der Erde gelegen hätte. Ändert dieser Fund etwas an Ihrer Meinung? Oder glauben Sie weiterhin, dass sie lange hier gelegen hat?«

»Ich glaube nicht. Ich vermute, dass sie lange hier gelegen hat.«

»Können Sie etwas sehen, das auf die Todesursache hindeutet?«, fuhr Martinsson fort.

»Das ist Frage Nummer zwei, eine zu viel. Sie bekommen keine Antwort.«

»Die Hand«, sagte Wallander. »Warum kommt sie hoch?«

»Das ist nichts Ungewöhnliches«, sagte Nyberg, als Stina Hurlén stumm blieb. »Dinge, die in der Erde liegen, bewegen sich. Es kann an Schwankungen des Grundwasserniveaus liegen. Außerdem bewegt sich die schonische Erde. Es kommt zu Absackungen. Ich persönlich glaube, dass die Hand hier durch den vielen Regen, den wir diesen Herbst hatten, hochgekommen ist. Aber es können natürlich auch Wühlmäuse gewesen sein.«

Nybergs Handy klingelte. Er brachte seine Analyse, warum die Hand aus der Erde hochgekommen war, nicht zum Abschluss.

»Was kann er gemeint haben? Mit den Wühlmäusen?«, fragte Martinsson.

»Ich habe Nyberg immer für einen glänzenden Kriminaltechniker gehalten. Aber ich war auch immer der Ansicht, dass er nicht gerade glänzt, wenn er erklären soll, was er meint.«

»Ich fahre jetzt nach Hause und schlafe«, sagte Martinsson. »Und das solltest du auch tun. Hier können wir sowieso nicht mehr viel ausrichten.«

Martinsson fuhr Wallander nach Hause. Wie gewöhnlich fuhr er ruckhaft. Aber Wallander sagte nichts. Damit hatte er schon vor Jahren aufgehört. Martinssons Fahrweise würde sich nicht mehr ändern.

7.

Linda war noch wach, als Wallander hereinkam. Sie empfing ihn im Bademantel und betrachtete seine lehmverschmierten Schuhe. Sie setzten sich in die Küche, und er erzählte, was geschehen war.

»Das klingt sonderbar«, sagte sie, als er fertig war. »Ein Haus, das dir Martinsson angeboten hat? Und da liegt eine tote Person vergraben?«

»So sonderbar es sich anhört, es ist wahr.«

»Und wer ist es?«

»Kannst du mir mal verraten, woher wir das wissen sollen?«

»Warum bist du so gereizt?«

»Ich bin müde. Vielleicht auch enttäuscht. Das Haus hat mir gefallen. Und der Preis war auch so, dass ich ihn hätte zahlen können.«

Sie streckte die Hand aus und streichelte seinen Arm.

»Es gibt noch mehr Häuser«, sagte sie. »Außerdem hast du doch eine Wohnung.«

»Ich bin wahrscheinlich enttäuscht«, wiederholte Wallander. »Gerade heute hätte ich eine gute Nachricht brauchen können, nicht ein Teil von einem Skelett, das aus dem Boden ragt.«

»Kannst du nicht das Spannende daran sehen? Statt eines langweiligen Gartens kriegst du etwas, von dem noch nie jemand was gehört hat.«

»Ich verstehe nicht, was du meinst.«

Linda betrachtete ihn amüsiert.

»Du brauchst keine Einbrüche zu befürchten«, sagte sie.

»Ich glaube, Einbrecher haben genauso Angst vor Gespenstern wie andere Leute.«

Wallander setzte Wasser auf. Linda schüttelte den Kopf, als er fragte, ob sie Tee haben wolle.

Er setzte sich mit einem rosa Becher an den Tisch.

»Den hab ich dir geschenkt«, sagte Linda. »Weißt du noch?«

»Weihnachtsgeschenk, als du acht Jahre alt warst«, antwortete er. »Ich trinke immer Tee aus diesem Becher.«

»Er hat eine Krone auf dem Flohmarkt gekostet.«

Wallander nahm einen Schluck. Linda gähnte.

»Ich hatte mich auf dieses Haus gefreut«, sagte er. »Zumindest hatte ich angefangen mir vorzustellen, dass ich endlich aus der Stadt herauskäme.«

»Es gibt andere Häuser«, erwiderte Linda.

»Ganz so einfach ist es nicht.«

»Was ist denn so schwierig?«

»Wahrscheinlich stelle ich zu hohe Ansprüche.«

»Dann stell niedrigere Ansprüche!«

Wallander merkte, dass er wütend wurde. Schon als Teenager hatte Linda ihm vorgeworfen, sein Leben ständig unnötig kompliziert zu machen. Was ihn daran am meisten ärgerte, war die Tatsache, dass Linda ihn dann an ihre Mutter Mona erinnerte. Außerdem hatte sie die gleiche Stimme. Wenn Wallander die Augen schloss, konnte er raten, wer ihm eigentlich hier am Küchentisch gegenübersaß.

»Jetzt hören wir auf damit«, sagte Wallander und spülte seinen Becher aus.

»Ich gehe schlafen«, antwortete Linda.

Wallander blieb noch sitzen und sah fern bei ausgeschaltetem Ton. Auf einem Kanal lief ein Film über Pinguine.

Plötzlich fuhr er aus dem Schlaf hoch. Es war vier Uhr. Der Fernseher rauschte. Er schaltete ihn ab und beeilte sich, ins Bett zu kommen, bevor er wieder ganz wach geworden war.

8.

Es war zwei Minuten nach acht Uhr am Montag, dem 28. Oktober, als Wallander die Tür eines der Sitzungszimmer im Polizeipräsidium hinter sich schloss. Nachdem er vor dem Fernseher wach geworden war, hatte er schlecht geschlafen. Dann war auch noch sein Rasierapparat kaputtgegangen. Er war unrasiert und fühlte sich ungepflegt. Um den Tisch herum saßen die Menschen, an die er von seiner Arbeit her gewöhnt war. Mit einigen von ihnen arbeitete er seit mehr als fünfzehn Jahren zusammen. Er dachte flüchtig, dass sie einen wesentlichen Teil seines Lebensinhalts ausmachten. Er war jetzt der Dienstälteste bei der Kriminalpolizei in Ystad. Einst war er der Jüngste gewesen.

Außer Wallander selbst nahmen Nyberg, Martinsson und die Polizeipräsidentin Liza Holgersson an der Sitzung teil. Sie war die erste weibliche Vorgesetzte, unter der Wallander je gearbeitet hatte. Anfangs, irgendwann in den Neunzigerjahren, als sie nach Ystad gekommen war, hatte er Vorbehalte gehabt wie alle anderen, hauptsächlich männlichen Polizisten. Aber er hatte schnell erkannt, dass Liza Holgersson sehr kompetent war. Sie war vielleicht die beste Chefin seines Berufslebens. Und obwohl sie auch heftige Kontroversen ausgefochten hatten, musste er mit den Jahren seine Meinung über sie nicht ändern.

Wallander atmete einmal tief durch und wandte sich Nyberg zu, danach Martinsson, der schon mit Stina Hurlén gesprochen hatte.

Nyberg war erschöpft und sah Wallander mit geröteten Augen an. Er hätte bereits pensioniert sein können, hatte es sich jedoch plötzlich anders überlegt. Wallander war nicht verwundert. Ohne seine Arbeit, allen Unannehmlichkeiten zum Trotz, würde Nyberg dem Leben wenig Sinn abgewinnen.

»Ein toter Körper«, sagte Nyberg. »Ein Skelett, ein paar vermoderte Kleidungsreste. Es ist nicht meine Aufgabe, zwischen Knochen nach Todesursachen zu suchen. Aber nichts schien zerbrochen oder zerschlagen zu sein. Sonst habe ich nichts gefunden. Natürlich stellt sich die Frage, ob wir den ganzen Garten umgraben sollten.«

»Und die neue Maschine?«, fragte Liza Holgersson. »Wie hat sie funktioniert?«

»Genau wie ich erwartet habe«, knurrte Nyberg. »Der reine Scheißdreck, den irgendein Idiot der schwedischen Polizei aufgeschwatzt hat. Warum bekommen wir keinen Leichenspürhund?«

Wallander konnte sein Lachen kaum zurückhalten. Auch wenn Nyberg zuweilen mürrisch und die Zusammenarbeit mit ihm nicht immer leicht war, so hatte er doch einen ganz besonderen Humor. Außerdem teilte Wallander seine Ansichten.

»Stina Hurlén braucht noch Zeit«, sagte Martinsson, während er in seinem Notizblock blätterte. Die Knochen müssen untersucht werden. Sie geht aber davon aus, uns im Laufe des Tages mehr sagen zu können.«

Wallander nickte.

»Das ist alles, was wir haben«, sagte er. »Nicht viel. Aber wir müssen darauf vorbereitet sein, dass dies hier ein Mordfall ist. Im Moment warten wir ab, was Stina Hurlén noch herausfindet. Wir können aber schon mal anfangen, uns mit der Geschichte dieses Hauses und den Menschen zu beschäftigen, die es bewohnt haben. Ist ein Mensch verschwunden? Die Frage können wir stellen. Weil das Haus einem Verwandten von Martinsson gehört, ist es vielleicht das Beste, wenn du dich darum kümmerst.«

Zum Zeichen dafür, dass die Sitzung beendet war, ließ Wallander die Hände auf die Tischplatte fallen. Liza Holgersson hielt ihn zurück, als sie den Raum verließen.

»Die Presse will mit dir reden«, sagte sie.

»Wir haben ein Skelett gefunden. Mehr können wir nicht sagen.«

»Du weißt doch, dass die Journalisten verschwundene Menschen lieben. Kannst du nicht ein wenig mehr sagen?«

»Nein. Wir Polizisten müssen warten. Da können die Journalisten es auch.«

Den Rest des Tages widmete Wallander einer Ermittlung, in der es um einen Polen ging. Bei einem zur Prügelei ausgearteten Saufgelage hatte der Pole einen Bewohner Ystads erschlagen. Viele Menschen waren bei der Sauforgie zugegen gewesen, aber jeder hatte etwas anderes gesehen – oder gar nichts. Der Pole, der als mutmaßlicher Täter galt, änderte ständig seine Aussagen. Wallander hatte mit den Beteiligten stundenlange trostlose Gespräche geführt. Er hatte mit dem Staatsanwalt darüber gesprochen, ob es sich wirklich lohnte, die Ermittlung fortzuführen. Aber der Staatsanwalt war jung und beflissen und hatte darauf bestanden. Ein Mann, ob betrunken oder nicht, der einen anderen Menschen, der ebenso betrunken war, erschlagen hatte, sollte seine Strafe bekommen. Dagegen konnte Wallander natürlich nicht argumentieren. Aber seine Erfahrung sagte ihm, dass man doch keine Klarheit erlangen würde, soviel er oder ein Kollege sich auch mit der Ermittlung befasste.

Dann und wann kam Martinsson herein und berichtete, dass Stina Hurlén noch nichts von sich hatte hören lassen. Kurz nach zwei stand Linda in der Tür und fragte, ob er nicht zu Mittag essen wolle. Er schüttelte den Kopf und bat sie, ihm ein Sandwich mitzubringen, wenn sie hinausginge. Nachdem sie das Zimmer verlassen hatte, dachte er, dass er sich immer noch nicht daran gewöhnt hatte, eine erwachsene Tochter zu haben, noch dazu eine Polizistin, die auf der gleichen Dienststelle arbeitete wie er.

Linda brachte ihm das Sandwich in einer Tüte. Wallander legte die umfangreiche Akte mit dem Material über das Saufgelage, das mit einem Mord geendet hatte, zur Seite. Er aß das Sandwich, schloss die Tür und lehnte sich im Sessel zurück, um auszuruhen. Wie üblich nahm er ein Schlüsselbund in die Hand. Wenn er es fallen ließ, war er eingeschlafen, und dann war es Zeit, wieder wach zu werden.

Bald schlief er. Der Schlüsselbund rasselte zu Boden. Im gleichen Moment öffnete Martinsson die Tür.

Wallander wusste sofort, dass Stina Hurlén jetzt von sich hatte hören lassen.

9.

Der vorläufige, aber in keiner Weise endgültige gerichtsmedizinische Bericht war von einem Boten aus Lund gebracht worden. Er lag auf Martinssons Tisch.

»Ich glaube, du liest es am besten selbst«, sagte Martinsson.

»Das bedeutet also, dass der Skelettfund zu dem wird, was wir vermutet haben? Eine Verbrechensermittlung?«

»Es sieht so aus.«

Während Wallander las, holte Martinsson Kaffee. Stina Hurlén schrieb einfach und klar. Wallander hatte sich im Laufe der Jahre oft gefragt, warum einige Polizisten oder Gerichtsmediziner, Staatsanwälte oder Verteidiger zuweilen so hoffnungslos unverständliche Texte schrieben. Sie spuckten Wortkaskaden aus, statt einfache und klare Sätze zu bilden.

Er brauchte gut zehn Minuten, um den Bericht durchzulesen. Wenn er wichtige Dokumente in Händen hielt, zwang er sich, langsam zu lesen, damit seine Gedanken Schritt halten konnten.

Stina Hurlén berichtete, dass es sich bei dem Skelett mit Sicherheit um das einer Frau handelte. Ihrer Einschätzung nach war die Frau zum Zeitpunkt ihres Todes ungefähr fünfzig Jahre alt gewesen. Für eine genauere Altersbestimmung waren weitere Analysen erforderlich. Doch Stina Hurlén konnte bereits jetzt die Todesursache nennen: Die Frau war erhängt worden. Darauf deutete ein Bruch im Nacken hin. Natürlich war nicht auszuschließen, dass der Schaden der Frau nach ihrem Tod zugefügt worden war. Doch dies hielt Stina Hurlén für unwahrscheinlich. Sie konnte noch nicht genau sagen, wie lange die Frau bereits tot war. Es gab jedoch Indizien dafür, dass sie viele Jahre in ihrem Grab gelegen hatte.

Wallander legte den Bericht auf den Tisch und nahm die Kaffeetasse, die Martinsson ihm hingestellt hatte.

»Fassen wir zusammen«, sagte Wallander. »Was wissen wir?«

»Ungewöhnlich wenig. Eine tote Frau in einer Grube in einem Garten in Löderup. Die bei ihrem Tod ungefähr fünfzig Jahre alt war. Aber wann sie starb, wissen wir nicht. Wenn ich Hurlén richtig verstehe, kann die Frau hundert Jahre da gelegen haben. Oder mehr.«

»Oder weniger«, sagte Wallander. »Wie heißt der Besitzer des Hauses? Dein Verwandter?«

»Karl Eriksson. Ein Cousin meiner Frau.«

»Ich nehme an, das Beste wäre, mit ihm zu reden.«

»Nein«, entgegnete Martinsson. »Das halte ich für keine gute Idee.«

»Warum nicht?«

»Er ist krank. Und alt.«

»Alt zu sein heißt noch lange nicht, dass man krank ist. Was meinst du?«

Martinsson trat ans Fenster und blickte hinaus.

»Ich meine nur, dass der Cousin meiner Frau, Karl Eriksson, zweiundneunzig Jahre alt ist. Bis vor ein paar Monaten war er noch klar im Kopf. Dann geschah etwas. Eines Tages ging er nackt auf die Straße, und als die Leute ihm helfen wollten, wusste er nicht mehr, wer er war und wo er wohnte. Bis dahin hatte er allein in seinem Haus gelebt. Die Demenz kommt meistens schleichend. Doch in seinem Fall kam sie urplötzlich.«

Wallander sah Martinsson fragend an.

»Aber wenn er so plötzlich senil wurde, wie konnte er dich dann bitten, den Verkauf seines Hauses zu übernehmen?«

»Das habe ich doch schon erzählt. Wir haben vor mehreren Jahren ein entsprechendes Schreiben aufgesetzt. Vielleicht ahnte er, dass er eines Tages im Nebel verschwinden würde, und wollte seine Angelegenheiten geregelt wissen.«

»Hat er keine klaren Momente mehr?«

»Keine. Er erkennt niemanden. Die einzige Person, von der er redet, ist seine Mutter, die vor fünfzig Jahren gestorben ist. Er sagt, er müsse Milch holen. Das wiederholt er die ganze Zeit, wenn er wach ist. Er lebt in einem Pflegeheim für Menschen, die nicht mehr von dieser Welt sind.«

»Aber es muss doch jemanden geben, der Fragen beantworten kann.«

»Genau das ist nicht der Fall. Karl Eriksson und seine Frau, die irgendwann in den Siebzigerjahren starb, hatten keine Kinder. Doch, sie hatten zwei Kinder, zwei Töchter, die vor langer Zeit bei einem entsetzlichen Unglück in einem Schlammbrunnen ertrunken sind. Andere Verwandte gibt es nicht. Sie lebten isoliert und hatten nur zu mir und meiner Familie zuweilen Kontakt.«

Wallander wurde ungeduldig. Außerdem hatte er Hunger. Lindas Sandwich hatte nicht lange vorgehalten.

»Wir müssen dort im Haus anfangen«, sagte er und stand auf. »Es muss Grundbucheintragungen geben. Alle Menschen haben eine Geschichte. Und Häuser genauso. Wir gehen zu Liza und sprechen mit ihr.«

Sie setzten sich in Liza Holgerssons Zimmer. Wallander ließ Martinsson von Stina Hurléns Befund und dem senilen Eriksson berichten. Sie hatten es sich im Laufe ihrer langjährigen Zusammenarbeit zur Gewohnheit gemacht, sich beim Vortragen von Berichten abzuwechseln, damit der andere zuhören und den Fall aus der Distanz betrachten konnte.

»Wir können nicht viele Leute darauf ansetzen«, sagte Liza Holgersson, nachdem Martinsson geendet hatte. »Außerdem spricht wohl fast alles dafür, dass ein eventueller Mord verjährt wäre.«

Wallander dachte, dass dies genau die Art von Kommentar war, die er erwartet hatte. In den letzten Jahren hatte er feststellen müssen, dass immer weniger polizeiliche Kräfte für das eingesetzt wurden, was eigentlich das Wichtigste sein sollte, die Feldarbeit. Immer mehr seiner Kollegen erledigten Schreibtischarbeit und mussten nach verwirrenden und sinnlosen Prioritäten vorgehen, die sich ständig änderten. Ein alter Mord, wenn es denn ein Mord war, auf den sie in Löderup gestoßen waren, konnte unter solchen Voraussetzungen nur mit begrenzter Aufmerksamkeit rechnen.

Er war auf die Antwort gefasst gewesen, wurde aber dennoch wütend.

»Wir informieren nur«, sagte er. »Wir sagen das, was wir wissen, aber für jeden Fall sollte eine grundlegende Untersuchung durchgeführt werden. Wir verlangen kein großes Aufgebot. Zumindest nicht, bevor wir den endgültigen Bericht von der Gerichtsmedizin in Lund bekommen haben. Und Nybergs Bericht. Wir sollten wenigstens herausfinden, wer dort draußen in der Erde liegt. Wenn wir uns weiterhin Polizisten nennen wollen.«

Liza Holgersson zuckte zusammen und sah ihn betroffen an.

»Was meinst du mit dem letzten Satz, den du gesagt hast?«

»Wir zeigen in unserem Handeln, dass wir Polizisten sind. Nicht in der ganzen Statistik, mit der wir unsere Arbeitszeit vertun.«

»Statistik?«

»Du weißt so gut wie ich, dass unsere Möglichkeiten, Verbrechen aufzuklären, viel zu begrenzt sind. Weil wir uns mit unwichtigem Papierkram abgeben müssen.«

Wallander fühlte, dass er einem Wutausbruch nahe war. Aber es gelang ihm, sich so weit zu beherrschen, dass Liza Holgersson nicht merkte, wie groß seine Verbitterung tatsächlich war.

Aber Martinsson durchschaute ihn natürlich sofort.

Wallander stand hastig auf.

»Wir sehen uns da draußen einmal um«, sagte er mit erkämpfter Freundlichkeit. »Wer weiß, was wir finden?«

Er verließ den Raum und ging mit schnellen Schritten den Flur hinunter. Martinsson hinter ihm kam kaum mit.

»Ich fürchtete, du würdest einen Wutanfall bekommen«, sagte er. »So einen richtig fiesen Wutanfall, passend zu einem Montag im Oktober, wenn der Winter nicht mehr fern ist.«

»Du redest zu viel«, sagte Wallander. »Hol deine Jacke, dann fahren wir aufs Land.«

10.

Als sie in Löderup ankamen, waren fast alle Scheinwerfer ausgeschaltet. Eine Plane deckte die Grube ab, in der sie das Skelett gefunden hatten. Vor der Absperrung stand ein Polizeifahrzeug. Nyberg und die anderen Techniker waren verschwunden. Wallander hatte noch immer die Hausschlüssel in der Tasche. Er reichte Martinsson das Schlüsselbund.

»Diesmal bin ich nicht zur Besichtigung hier. Es sind deine Schlüssel, schließ du auf.«

»Warum muss immer alles so kompliziert sein?«, fragte Martinsson.

Er erwartete keine Antwort. Sie traten ins Haus und machten Licht.

»Grundbucheintragungen«, sagte Wallander. »Papiere, die die Geschichte des Hauses erzählen. Damit können wir uns eine Weile beschäftigen. Danach warten wir, bis die Spurensicherung und die Ärzte ihre Aussagen gemacht haben.«

»Ich habe Stefan gebeten, ein bisschen in den alten Berichten über verschwundene Personen zu suchen«, sagte Martinsson. »Linda wollte ihm dabei helfen.«

Stefan Lindman war ungefähr zur gleichen Zeit wie Linda zur Polizei von Ystad gekommen. Wallander hatte bald bemerkt, dass die beiden eine Art Verhältnis hatten. Wenn er versuchte, mit Linda darüber zu sprechen, reagierte sie meistens ablehnend. Wallander mochte Stefan Lindman. Er war ein guter Polizist. Aber Wallander fiel es schwer, sich mit dem Gedanken anzufreunden, dass seine Tochter ihn nicht mehr für den wichtigsten Mann in ihrem Leben hielt.

Sie begannen an entgegengesetzten Enden des Hauses,

Martinsson im Schlafzimmer, Wallander im Wohnzimmer, das anscheinend eine Mischung aus guter Stube und Arbeitsraum darstellte.

Als Martinsson ihn allein gelassen hatte, stand Wallander einen Augenblick ganz still da und ließ den Blick und die Gedanken durchs Zimmer schweifen. Hatte hier einmal eine Frau gelebt, die aus irgendeinem Grund ermordet und im Garten verscharrt worden war? Warum hatte niemand sie vermisst, wenn sie hier gelebt hatte? Was hatte sich hier abgespielt? Vor zwanzig Jahren? Vor fünfzig Jahren? Vielleicht vor hundert Jahren?

Wallander begann methodisch zu suchen. Zuerst mit den Augen. Menschen hinterließen immer Spuren. Und sie waren wie Hamster. Sie horteten Dinge, nicht zuletzt Papiere. Sein Blick fiel auf einen Schreibtisch vor einem der Fenster. Dort würde er anfangen zu suchen. Der Schreibtisch war dunkelbraun, sicher sehr alt. Wallander setzte sich auf den Schreibtischstuhl und versuchte die Schubladen herauszuziehen. Sie waren verschlossen. Er suchte auf der Tischplatte nach einem Schlüssel. Dann tastete er mit den Fingern die Unterkante der Tischplatte ab. Nichts. Er hob die schwere Tischlampe aus Messing an. Da lag ein Schlüssel mit einem dünnen Seidenband.

Er öffnete die Tür des Seitenteils. Dahinter waren fünf Schubladen. Die oberste war voller alter Füller, leerer Tintenfässer, Brillen und Staub. Wallander dachte, dass nichts ihn so deprimieren konnte wie der Anblick alter Brillen, nach denen niemand mehr fragte. Er öffnete die nächste Schublade. Darin lag ein Bündel von Kopien alter Steuererklärungen. Die älteste stammte aus dem Jahr 1952. In diesem Jahr hatten Karl Eriksson und seine Frau Einkünfte von 2900 Kronen versteuert. Er versuchte sich vorzustellen, ob das eine erstaunlich niedrige Summe war oder ob es das war, was man hätte erwarten können. Er entschied sich für die erste Möglichkeit. Die dritte Schublade enthielt mehrere Kalender.

Wallander blätterte einige davon durch. Es fanden sich keine persönlichen Einträge, nicht einmal Geburtstage, es ging nur um den Kauf von Saatgetreide, Reparaturkosten eines Mähdreschers, ein neues Rad für den Traktor. Er legte die Kalender zurück. Jedes Mal, wenn er in den persönlichen Sachen anderer Menschen suchte, fragte er sich, wie jemand es ertragen konnte, ein Dieb zu sein. Täglich in der Kleidung und den Habseligkeiten anderer Menschen herumzuwühlen.

Wallander öffnete die vierte und vorletzte Schublade. Dort fand er, was er suchte. Einen Ordner mit der Aufschrift »Unterlagen Haus«, mit Tinte geschrieben. Vorsichtig holte er ihn hervor, zog die Schreibtischlampe heran, richtete das Licht auf die Seiten und begann zu blättern. Zunächst fand er einen Kaufvertrag vom 18. November 1968. Karl Eriksson und seine Ehefrau Emma kaufen das Haus und das dazugehörige Land von den Erben des Landwirts Gustav Valfrid Henander. Die Erben sind die Witwe Laura und ihre drei Kinder Tore, Lars und Kristina. Die Kaufsumme beträgt 55 000 Kronen. Karl Eriksson übernimmt eine Hypothek von 15 000 Kronen. Der Kauf wird über die Sparkasse Ystad abgeschlossen.

Wallander suchte einen Notizblock und einen Bleistift in seiner Jackentasche. Früher hatte er meistens vergessen, Papier und Stift einzustecken, und hatte sich damit begnügen müssen, seine Notizen auf Zetteln und den Rückseiten von Quittungen zu machen. Aber Linda hatte eine ganze Reihe Notizbücher gekauft und sie in all seine Jacken- und Manteltaschen gesteckt. Er notierte sich zwei Zahlen. Darüber schrieb er das Datum, 28. Oktober 2002. Darunter schrieb er: 18. November 1968. Diese erste Zeitspanne umfasste vierunddreißig Jahre, mehr als eine Generation. Er notierte alle Namen, die sich auf dem Kaufvertrag fanden, und legte ihn zur Seite, bevor er sich wieder den Dokumenten zuwandte. Die meisten waren uninteressant, doch er ging vorsichtig zu Werke. Sich zwischen Dokumenten zu bewegen, das konnte ebenso riskant sein, wie sich in einem dunklen

Wald zu bewegen. Man konnte stolpern, fallen, sich verirren. Irgendwo klingelte Martinssons Handy. Wallander nahm an, dass es Martinssons Frau war. Sie sprachen jeden Tag mehrmals miteinander am Telefon. Wallander hatte sich oft gefragt, worüber sie sich bloß die ganze Zeit unterhielten. Er konnte sich nicht erinnern, Mona in all den Jahren ihrer Ehe auch nur ein einziges Mal angerufen zu haben – oder dass sie ihn angerufen hätte. Arbeit war Arbeit, reden konnte man vorher oder nachher. Er fragte sich, ob das vielleicht einer der Gründe für das Scheitern ihrer Ehe gewesen war. Dass er sie nie angerufen hatte – oder sie ihn.

Er blätterte weiter. Plötzlich hielt er eine alte Grundbucheintragung in der Hand. Eine beglaubigte Kopie. Sie stammte aus dem Jahr 1949 und war für Gustav Valfrid Henander angefertigt. Er hatte den Hof Legshult 2:19 von Ludvig Hansson gekauft, der als Witwer und alleiniger Besitzer des Hofes aufgeführt wurde. Die Kaufsumme hatte 29 000 Kronen betragen, und diesmal war das Geschäft über die Sparkasse Skurup abgewickelt worden.

Wallander machte eine Notiz. Eine weitere Zeitspanne hatte sich aufgetan. Vom Jahr 2002 war er jetzt dreiundfünfzig Jahre zurückgelangt in die Vergangenheit. Er grinste vor sich hin. Als Ludvig Hansson seinen Hof an Gustav Valfrid Henander verkauft hatte, war Wallander ein kleiner Junge gewesen und hatte noch in Limhamn gewohnt. An diese Zeit hatte er keinerlei eigene Erinnerungen.

Er suchte weiter. Martinsson hatte sein Telefongespräch beendet und pfiff vor sich hin. Es war ein Lied, das Barbra Streisand gesungen hatte, wenn er sich nicht irrte. Vielleicht war der Titel *Woman in love*. Martinsson pfiff gut. Wallander blätterte weiter. Er fand keine länger zurückreichenden Dokumente mehr. Ludvig Hansson hatte den Hof 1949 verkauft. Über die Zeit davor enthielt die Schreibtischschublade keine Informationen.

Er durchsuchte die übrigen Schubfächer, ohne etwas zu

finden. Auch ein Eckschrank und ein Sekretär gaben nichts mehr preis, was von Interesse hätte sein können.

Martinsson trat ein, setzte sich auf einen Stuhl und gähnte. Wallander erzählte, was er gefunden hatte. Martinsson schüttelte den Kopf, als er ihm die Papiere hinhielt.

»Ich brauche sie nicht anzusehen. Der Name Ludvig Hansson sagt mir nichts.«

»Wir suchen beim Katasteramt weiter«, sagte Wallander. »Morgen. Aber jetzt haben wir schon mal eine Art grundlegende Geschichte, die fünf Jahrzehnte zurückreicht. Hast du etwas gefunden?«

»Nein. Ein paar Fotoalben. Aber nichts, was unmittelbar Licht auf diese Frau wirft.«

Wallander band die Mappe mit den das Haus betreffenden Dokumenten zusammen.

»Wir müssen mit den Nachbarn sprechen«, sagte er. »Auf jeden Fall mit denen, deren Höfe in der Nähe liegen. Weißt du von jemandem, der Karl Eriksson besonders nahe stand?«

»Das müssten die Leute in dem roten Hof auf der linken Seite hinter der Abbiegung sein. Da steht noch ein altes Milchkannenpodest.«

Wallander wusste, welches Haus und welches Milchkannenpodest Martinsson meinte. Er glaubte sich auch zu erinnern, dass jemand aus diesem Haus eins der Bilder seines Vaters gekauft hatte. Aber er hätte nicht sagen können, ob es eins mit oder eins ohne Auerhahn gewesen war.

»Da wohnt eine alte Frau namens Elin«, sagte Martinsson. »Trulsson mit Nachnamen. Sie hat Karl hin und wieder besucht. Aber sie ist auch alt. Nur vielleicht nicht so senil.«

Wallander stand auf.

»Morgen«, sagte er. »Morgen reden wir mit ihr.«

11.

Linda überraschte Wallander mit einem selbst zubereiteten Abendessen. Obwohl es ein Wochentag war, hätte Wallander am liebsten eine Flasche Wein geöffnet. Aber Linda würde sofort Theater machen. Also ließ er die Flasche stehen. Stattdessen erzählte er seiner Tochter von Martinssons und seinem zweiten Besuch in Löderup.

»Habt ihr was gefunden?«

»Ich habe eine gewisse Übersicht über die Besitzer des Hofs in den letzten fünfzig Jahren. Aber das muss ja noch nichts bedeuten.«

»Ich habe mit Stefan gesprochen. In seinen Unterlagen ist keine vermisste Frau, die ins Bild passt.«

»Das war auch kaum zu erwarten.«

Sie aßen schweigend weiter.

»Du hättest das Haus kaufen können«, sagte sie nach dem Kaffee. »Du hättest da bis zu deinem Tod herumlaufen können, ohne zu ahnen, dass eine Tote in deinem Garten liegt, du hättest den Rest deines Lebens da verbringen können, ohne zu wissen, dass das Gras, auf dem du im Sommer barfuß gingst, ein Grab bedeckt.«

»Ich denke an die Hand«, sagte er. »Aus irgendeinem Grund ist sie an die Oberfläche gekommen. Man kann natürlich, wenn man an Gespenster glaubt, denken, dass sie aus dem Boden ragte, um die Aufmerksamkeit des besuchenden Polizisten zu erregen.«

Das Gespräch wurde unterbrochen, weil Lindas Handy klingelte. Sie meldete sich, hörte zu und beendete das Gespräch wieder.

»Das war Stefan. Ich fahre zu ihm hinüber.«

Wallander verspürte sofort das nagende Gefühl der Eifersucht. Er schnitt unfreiwillig eine Grimasse, die sie bemerkte.

»Was ist denn?«

»Nichts.«

»Aber ich sehe doch, dass etwas ist. Du hast das Gesicht verzogen.«

»Mir ist nur etwas zwischen den Zähnen stecken geblieben.«

»Du wirst nie lernen, dass du mich nicht hinters Licht führen kannst.«

»Ich bin nichts als ein eifersüchtiger alter Vater. Das ist alles.«

»Schaff dir eine Frau an. Ich habe es dir schon oft gesagt. Wenn du nicht bald anfängst, mit jemand zu vögeln, stirbst du.«

»Du weißt, dass ich es nicht mag, wenn du solche Ausdrücke benutzt.«

»Ich glaube, du brauchst es ab und zu, dass jemand dich ein bisschen in Rage bringt. Tschüss dann.«

Als Linda gegangen war, überlegte Wallander nur einen Augenblick. Dann stand er auf, öffnete die Weinflasche, nahm sich ein Glas und ging ins Wohnzimmer. Er suchte eine Platte mit Beethovens letztem Streichquartett heraus und setzte sich in einen Sessel. Während er der Musik lauschte, ließ er seinen Gedanken freien Lauf. Der Wein machte ihn schläfrig. Er schloss die Augen und sank in Halbschlaf.

Plötzlich zuckte er zusammen und war im Nu hellwach. Die Musik war verstummt, die Platte drehte sich nicht mehr. Ein Gedanke war in die Tiefe seines Unbewussten gedrungen. Die Hand, über die er gestolpert war. Er hatte eine Erklärung bekommen, die Nyberg für plausibel gehalten hatte. Grundwasser konnte steigen und sinken, der Lehmboden konnte sich verlagern und dadurch andere Erdschichten an die Oberfläche schieben. So war die Hand nach oben gelangt.

Aber warum nur die Hand? Hatte er beim Abendessen einen klareren Gedanken formuliert, als ihm selbst bewusst war? Die Hand, die nach oben gekommen war, um Aufmerksamkeit zu erregen?

Er trank ein weiteres Glas Wein und rief dann Nyberg an. Es war stets ein Risiko, ihn zu Hause anzurufen, denn er konnte sehr erbost sein, wenn ihn jemand störte.

»Nyberg.«

»Hier ist Kurt. Ich hoffe, ich störe nicht.«

»Du kannst Gift darauf nehmen, dass du störst. Was ist?«

»Die Hand, die aus dem Boden ragte und über die ich gestolpert bin. Du hast gesagt, dass der Lehmboden sich verschiebt, gleitet, dass der Grundwasserpegel sich ständig ändert. Aber ich begreife trotzdem nicht, warum die Hand gerade jetzt aus dem Boden gekommen ist.«

»Wer sagt denn, dass es gerade jetzt war? Ich nicht. Sie kann Jahre da gelegen haben.«

»Aber hätte sie dann nicht jemand sehen müssen?«

»Das herauszufinden ist deine Arbeit. War das alles?«

»Nicht ganz. Kann man sich vorstellen, dass die Hand dort bewusst platziert wurde? Damit jemand sie entdeckt? Konntest du sehen, ob der Boden in letzter Zeit umgegraben worden ist?«

Nyberg atmete schwer. Wallander fürchtete, dass er auf dem besten Wege war, einen Wutanfall zu bekommen.

»Diese Hand ist von selbst gewandert«, sagte Nyberg.

Er war nicht wütend geworden.

»Das war es, was ich wissen wollte«, sagte Wallander. »Danke, dass du dir die Zeit genommen hast.«

Er legte auf und kehrte zu seinem Weinglas zurück.

Kurz nach Mitternacht kam Linda nach Hause. Aber da lag er schon im Bett und schlief, nachdem er das Glas gespült und die leere Flasche weggestellt hatte.

12.

Um Viertel nach zehn am nächsten Tag, dem 29. Oktober, fuhren Wallander und Martinsson über schneematschbedeckte Straßen nach Löderup, um mit Elin Trulsson und vielleicht auch mit anderen Nachbarn zu sprechen und Klarheit darüber zu gewinnen, welche Menschen vor vielen Jahren in dem Haus gelebt hatten.

Am Morgen hatten sie eine sehr kurze Sitzung abgehalten. Liza Holgersson bestand darauf, dass keine zusätzlichen Ressourcen für den Skelettfund bereitgestellt wurden, bevor nicht die gerichtsmedizinische Untersuchung abgeschlossen war.

»Winter«, sagte Martinsson. »Wie ich diesen Schneematsch hasse. Ich kaufe Rubbellose und rubble sie. Ich sehe keine Tausendkronenscheine, die in Massen auf mich herabregnen. Ich sehe ein Haus irgendwo in Spanien oder an der Riviera.«

»Und was würdest du da tun?«

»Wandteppiche knüpfen. An den Schneematsch hier denken, von dem ich keine nassen Füße mehr kriege.«

»Das würde dich bald langweilen«, sagte Wallander. »Du würdest lauter Schneeunwetter in deine bescheuerten Wandteppiche weben, und am Ende würdest du vor Sehnsucht nach diesem Scheißwetter umkommen.«

Sie bogen bei dem roten Haus ab, das einige Hundert Meter von Karl Erikssons Hof entfernt lag. Ein Mann in mittleren Jahren stieg gerade auf seinen Traktor. Er betrachtete sie fragend. Sie gingen auf ihn zu und gaben ihm die Hand. Er stellte sich als Evert Trulsson vor. Der Hof gehörte ihm. Wallander erklärte ihr Anliegen.

»Wer hätte so etwas von Kalle gedacht«, sagte er, als Wallander geendet hatte.

»Was denn gedacht?«

»Dass er eine Leiche im Garten vergraben hatte.«

Wallander warf Martinsson einen Blick zu und versuchte, die eigenartige Logik in Evert Trulssons Äußerung zu verstehen.

»Können Sie erklären, was Sie meinen? Halten Sie es für möglich, dass er den Körper selbst vergraben hat?«

»Weiß ich ja nicht. Was weiß man schon über seine Nachbarn. Früher kannte man alle Einzelheiten über die Leute, die man um sich hatte. Aber heute hat man von nichts mehr eine Ahnung.«

Wallander dachte, dass er einen von diesen äußerst konservativen Menschen vor sich hatte, die fest davon ausgingen, dass früher alles besser war. Es würde nichts bringen, sich auf eine Diskussion darüber einzulassen.

»Elin Trulsson«, fragte er. »Wer ist das?«

»Elin ist meine Mutter.«

»Wir haben gehört, dass Ihre Mutter Karl Eriksson im Pflegeheim besucht hat. Sie sind also befreundet?«

»Meine alte Mutter kümmert sich um andere Menschen. Ich glaube, sie besucht Karl, weil es sonst niemand tut.«

»Sie waren also befreundet?«

»Wir waren Nachbarn. Das ist nicht das Gleiche wie befreundet zu sein.«

»Aber Sie waren nicht verfeindet«, schob Martinsson dazwischen.

»Nein. Wir waren Nachbarn. Unsere Felder grenzen aneinander. Für diesen Weg waren wir gemeinsam verantwortlich. Wir kümmerten uns um die Angelegenheiten, die uns gemeinsam betrafen, wir grüßten uns und wir halfen einander, wenn es nötig war. Aber wir pflegten keinen persönlichen Umgang.«

»Soweit ich informiert bin, kam Eriksson im Jahr 1968

hierher, vor vierunddreißig Jahren. Und er kaufte den Hof von dem Erben mit Namen Gustav Henander.«

»Ja, ich erinnere mich. Wir waren mit Henander verwandt. Ich glaube, mein Vater war ein Halbbruder von jemandem, der Henander hieß, der aber ein Adoptivkind war. So genau weiß ich es nicht. Vielleicht weiß Mutter es noch. Mein Vater ist ja schon lange tot.«

Sie gingen zum Haus.

»Gustav und Laura Henander hatten drei Kinder«, sagte Martinsson. »Zwei Jungen und ein Mädchen. Aber wohnten noch andere Leute auf dem Hof? Eine Frau?«

»Nein. Und wir haben ja alle gesehen, die vorbeifuhren. Sie lebten für sich, hatten nie Besuch.«

Sie traten in eine warme Küche ein, wo zwei fette Katzen auf einer Fensterbank lagen und sie mit wachsamen Augen betrachteten. Eine Frau in mittleren Jahren kam in die Küche, Evert Trulssons Frau. Sie begrüßte sie und nannte ihren Namen: Hanna. Wallander empfand ihren Händedruck als extrem schlapp.

»Es ist Kaffee da«, sagte Evert Trulsson. »Setzen Sie sich, dann hole ich Mutter.«

Es dauerte mindestens fünfzehn Minuten, bis Evert Trulsson mit seiner Mutter Elin in die Küche zurückkehrte. Wallander und Martinsson hatten in der Zwischenzeit ihr Bestes gegeben, um mit Hanna Trulsson ins Gespräch zu kommen, aber ohne großen Erfolg. Das Einzige, was sie in diesen fünfzehn Minuten herausbekommen hatten, waren die Namen der beiden Katzen; die eine hieß Jeppe und die andere Florry.

Elin Trulsson war eine sehr alte Frau mit einem zerfurchten Gesicht. Die Falten hatten sich tief in die Haut gegraben. Wallander dachte, dass sie schön war, ein bisschen wie ein alter Baumstamm. Viele alte Menschen riefen diese Vorstellung in ihm wach. Auch das Gesicht seines Vaters war so gewesen. Es gab eine Schönheit, die nur das Alter einem

Menschen verleihen konnte. Ein ganzes Leben, eingeritzt in die Falten des Gesichts.

Sie begrüßten sich. Im Gegensatz zu Hanna Trulsson drückte ihre Schwiegermutter Wallanders Hand kräftig.

»Ich höre schlecht«, sagte sie. »Auf dem linken Ohr höre ich gar nichts, auf dem rechten Ohr geht es, aber nur, wenn die Leute nicht durcheinanderreden.«

»Ich habe Mutter erklärt, warum Sie hier sind«, sagte Evert Trulsson.

Wallander beugte sich zu der alten Frau vor. Martinsson nahm einen Notizblock zur Hand.

Aber es wurde nichts notiert. Elin Trulsson hatte absolut nichts von Interesse zu berichten. Karl Eriksson und seine Frau hatten ein Leben geführt, das keine Geheimnisse zu bergen schien, und über die Familie Henander wusste Elin Trulsson auch nichts zu berichten. Wallander versuchte, noch einen Schritt in der Zeit zurückzugehen, zu Ludvig Hansson, der 1949 den Hof an Henander verkauft hatte.

»Damals habe ich noch nicht hier gewohnt«, sagte Elin Trulsson. »Ich arbeitete damals in Malmö.«

»Wie lange hatte Ludvig Hansson den Hof?«, fragte Wallander.

Elin Trulsson blickte fragend zu ihrem Sohn. Er schüttelte den Kopf.

»Die haben sicher über viele Generationen hier gewohnt«, sagte er. »Das lässt sich doch nachprüfen.«

Wallander sah ein, dass sie nicht weiterkamen. Er nickte Martinsson zu, und sie bedankten sich für den Kaffee, verabschiedeten sich mit erneutem Händeschütteln und verließen zusammen mit Evert Trulsson das Haus. Der Schneegriesel war in Regen übergegangen.

»Wenn Vater noch leben würde«, sagte Evert Trulsson, »der hatte ein unglaubliches Gedächtnis. Außerdem war er so ein bisschen ein Heimatforscher. Er hat nichts aufgeschrieben, aber er konnte besser erzählen als alle Leute hier. Heute denke ich, dass ich alles hätte auf Band aufnehmen sollen, was er erzählt hat.«

Wallander wollte gerade ins Auto steigen, als ihm noch eine Frage einfiel.

»Können Sie sich erinnern, ob es hier in der Gegend einmal Fälle von vermissten Personen gegeben hat? In Ihrer Zeit oder früher. Darüber reden die Leute ja, über Menschen, deren Verschwinden Rätsel aufgibt.«

Evert Trulsson dachte nach, bevor er antwortete.

»Mitte der Fünfzigerjahre ist hier allerdings mal ein Mädchen verschwunden, ein Teenager. Niemand weiß, was aus ihr geworden ist. Vielleicht hat sie sich umgebracht oder ist ausgerissen. Jedenfalls ist sie nicht wieder aufgetaucht. Sie war vierzehn, fünfzehn Jahre alt. Elin hieß sie, genau wie Mutter. Aber sonst weiß ich von niemandem.«

Wallander und Martinsson fuhren zurück nach Ystad.

»Jetzt unternehmen wir nichts mehr«, sagte Wallander. »Nicht bevor die Gerichtsmedizin sich geäußert hat. Wir können nur hoffen, dass es sich trotz allem als ein natürlicher Tod herausstellt. Dann genügt es, dass wir versuchen, die Person zu identifizieren. Und wenn uns das nicht gelingt, ist es nicht so dramatisch.«

»Es ist klar, dass es sich um ein Verbrechen handelt«, sagte Martinsson. »Davon abgesehen bin ich deiner Meinung. Jetzt warten wir ab.«

Sie kehrten nach Ystad zurück und nahmen sich andere Arbeit vor. Einige Tage später, am Freitag, dem 1. November, brach ein Schneeunwetter über Schonen herein. Der Verkehr kam zum Erliegen, alle verfügbaren Polizeikräfte wurden zur Bewältigung der Lage eingesetzt. Am Nachmittag des folgenden Tages hörte der Schneefall auf. Am Sonntag regnete es. Der Schnee begann zu schmelzen.

Am Montagmorgen, dem 4. November, gingen Wallander und Linda gemeinsam zum Polizeipräsidium. Sie waren kaum durch die Anmeldung gekommen, als Martinsson ihnen auf dem Gang entgegenstürmte. In der Hand hielt er einige Schriftstücke.

Wallander sah sofort, dass sie vom Gerichtsmedizinischen Institut in Lund kamen.

13.

Stina Hurlén und ihre Kollegen in Lund hatten ganze Arbeit geleistet. Sie benötigten zwar noch mehr Zeit, um das Skelett der Unbekannten im Detail zu untersuchen, doch die Ergebnisse, die sie bereits jetzt gesichert vorlegen konnten, halfen Wallander und seinen Kollegen weiter. Zunächst bestätigten die Gerichtsmediziner, dass wirklich ein Mord begangen worden war. Die Frau war keines natürlichen Todes gestorben. Ihr Skelett wies genau die Art von Verletzung auf, die bei Menschen, die erhängt worden waren, unweigerlich auftritt. Der Bruch der Nackenwirbel hatte den Tod herbeigeführt. Wallander kommentierte dies mit der finsteren Bemerkung, es sei zwar üblich, dass Selbstmörder sich erhängten, nicht jedoch, dass sie sich selbst abschnitten und in einer Grube in ihrem eigenen oder einem fremden Garten verbuddelten.

Sie erfuhren auch, dass die Schätzung des Alters der Frau auf fünfzig Jahre ziemlich genau zutraf. Das Skelett der Frau wies kaum Verschleißspuren auf. Mit anderen Worten bedeutete dies, dass die Person im Grab kaum harte körperliche Arbeit geleistet hatte.

Es war jedoch die letzte Information im Bericht, die Wallander und seinen Kollegen einen konkreten Anhaltspunkt gab, wie ihn Kriminalbeamte in einer Verbrechensermittlung suchen.

Die Frau hatte zwischen fünfzig und siebzig Jahre in dem Grab gelegen. Wie die Ärzte und die Experten zu dieser Zeitangabe gelangt waren, verstand Wallander allerdings nicht, aber er verließ sich darauf. Gerichtsmediziner irrten sich selten.

Wallander nahm Martinsson und Linda mit in sein Büro, wo sie sich um den Schreibtisch setzten. Linda hatte eigentlich nichts mit dem Fall zu tun, ging aber aus Neugier mit. Und Wallander hatte ihre spontanen Kommentare zu schätzen gelernt. Manchmal äußerte sie Überlegungen, die sich bald als wichtig erwiesen.

»Die Zeit«, sagte Wallander, »was bedeutet sie für diesen Fall?«

»Sie ist also zwischen 1930 und 1950 gestorben«, sagte Martinsson. »Das macht es leichter und schwieriger zugleich. Leichter, weil wir nur in einer begrenzten Zeit zu suchen brauchen. Schwieriger, weil es so weit zurückliegt.«

Wallander lächelte.

»Das hast du schön gesagt«, meinte er. »Das ist neu. ›Wir brauchen nur in einer begrenzten Zeit zu suchen.‹ In der Zeit suchen. Du solltest in einem anderen Leben vielleicht Dichter werden.«

Wallander beugte sich mit frischer Energie über den Schreibtisch. Jetzt hatten sie etwas in der Hand. Sie hatten einen Anhaltspunkt.

»Wir werden einiges zu entwirren haben«, sagte er. »Wir müssen in verstaubten Papieren graben. Was auch geschehen sein mag, es ist geschehen, bevor wir auf der Welt waren, und du, Linda, erst recht. Aber es fängt an, mich zu interessieren, wer diese Frau war und was ihr widerfahren ist.«

»Ich rechne im Kopf nach«, sagte Linda. »Nehmen wir an, sie wäre 1940 ermordet worden, nur um in dem zeitlichen Bogen die Mitte zu wählen, und stellen wir uns vor, der Täter war ein Erwachsener, sagen wir dreißig Jahre alt, dann suchen wir jemanden, der jetzt neunzig Jahre alt ist. Ein neunzigjähriger Mörder. Und er kann genauso gut über hundert sein. Was vermutlich bedeutet, dass er schon lange tot ist.«

»Richtig«, sagte Wallander. »Aber wir hören jetzt nicht auf, nur weil ein Mörder vermutlich längst tot ist. Zunächst suchen wir die Antwort auf die Frage, wer diese Frau war. Es kann Verwandte geben, vielleicht Kinder, die erleichtert sind, wenn sie erfahren, was passiert ist.«

»Wir werden zu archäologischen Polizisten«, sagte Martinsson. »Wir werden ja sehen, welche Priorität Liza dem, was wir hier tun, einräumt.«

Es gab, wie Wallander vorausgesehen hatte, gar keine. Liza Holgersson sah natürlich ein, dass ein Skelettfund untersucht werden musste. Aber sie konnte keine weiteren Beamten abstellen, sie hatte schon allzu viele Ermittlungen, die zu Ende geführt werden mussten.

»Die Statistiker des Reichskriminalamts sitzen mir im Nacken«, seufzte sie. »Wir müssen zeigen, dass unsere Ermittlungen Erfolg haben. Es reicht nicht mehr, dass wir Berichte über alle Ermittlungen schreiben, die wir als aufgeklärt zu den Akten legen können.«

Martinsson und Wallander horchten auf. Wallander ahnte, dass Liza Holgersson vielleicht zu viel gesagt hatte. Oder sie wollte einfach ihren Kummer mit jemandem teilen.

»Ist das wirklich möglich?«, fragte Wallander vorsichtig.

»Alles ist möglich. Ich warte nur auf den Tag, an dem der Rechnungshof entdeckt, dass wir eingestellte Ermittlungen als aufgeklärte deklariert haben.«

»Es fällt auf uns zurück«, sagte Wallander. »Die Öffentlichkeit wird uns angreifen.«

»Nein«, wandte Martinsson ein. »Die Leute sind doch nicht dumm. Sie sehen, dass wir immer weniger und weniger werden. Sie wissen, dass nicht wir das Problem sind.«

Liza Holgersson stand auf. Die Besprechung war beendet. Sie wollte das unerfreuliche Gespräch über die Schummelei mit den nicht aufgeklärten, aber dennoch als aufgeklärt deklarierten Verbrechen nicht weiterführen. Martinsson und Wallander kehrten in eins der Sitzungszimmer zurück. Im Korridor stießen sie mit Linda zusammen, die auf dem Weg nach draußen war, um Streife zu fahren.

»Wie ist es gelaufen?«

»Wie erwartet«, antwortete Wallander. »Wir haben zu viel zu tun. Also tun wir so wenig wir können.«

»Das ist ungerecht«, sagte Martinsson.

»Natürlich ist es ungerecht. Wer sagt denn, dass es bei Polizeiarbeit um Gerechtigkeit geht?«

Linda schüttelte den Kopf und ging eilig weiter.

»Was du da zuletzt gesagt hast, habe ich nicht verstanden«, sagte Martinsson.

»Ich auch nicht«, sagte Wallander belustigt. »Aber es kann nicht schaden, wenn die junge Generation etwas zum Grübeln hat.«

Sie setzten sich an den Tisch. Übers Haustelefon rief Martinsson Stefan Lindman an. Nach einigen Minuten erschien er mit einem Aktenordner in der Hand.

»Verschwundene Personen«, sagte Wallander. »Nichts ist so spannend wie Menschen, die sich in Luft auflösen. Sie gehen aus dem Haus, um Milch zu kaufen, und kommen nie zurück. Oder die, die eine Freundin besuchen und danach nie wieder auftauchen. Besonders junge Frauen, die verschwinden, beschäftigen die Fantasie der Leute. Ich selbst erinnere mich an eine, die Ulla hieß und irgendwann in den Fünfzigerjahren nach einer Tanzveranstaltung in Sundbyberg verschwand. Sie wurde nie gefunden. Ich kann mich sogar noch an ihr Gesicht erinnern, wenn ich mir Mühe gebe.«

»Es gibt eine Statistik«, sagte Stefan Lindman. »Dafür, dass die Polizei sie erstellt hat, ist sie sehr zuverlässig. Die allermeisten Menschen, die als vermisst gemeldet werden, tauchen nach kurzer Zeit wieder auf, nach ein paar Tagen oder vielleicht einer Woche. Nur eine ganz geringe Anzahl wird nie gefunden.«

Er klappte den Ordner auf.

»Ich habe ein wenig in der Vergangenheit gegraben«, sagte er. »Um den Zeitraum einzugrenzen, um den es sich nach Ansicht der Ärzte handelt, habe ich zwischen 1935 und 1955 gesucht. Unsere Register, auch die historischen und die, die von nicht abgeschlossenen Ermittlungen handeln, sind gut gefüllt. Ich glaube, ich habe ein ziemlich gutes Bild gewonnen über verschwundene Frauen, die in diesem Zusammenhang infrage kommen könnten.«

Wallander beugte sich über den Tisch vor.

»Was hast du gefunden?«

»Nichts.«

»Nichts?«

Stefan Lindman nickte.

»Du hast ganz richtig gehört. In dem betreffenden Zeitraum gibt es keine einzige Frau im passenden Alter, die in dieser Gegend als vermisst gemeldet wurde. Es gibt auch keine in Malmö. Ich dachte, ich wäre einer Frau auf der Spur, einer Neunundvierzigjährigen aus Svedala, die im Dezember 1942 aus ihrer Wohnung verschwand. Aber sie kam einige Jahre später zurück. Sie war mit einem Soldaten aus Stockholm durchgebrannt, der hier unten einberufen war. Sie bekam es satt, die Leidenschaft kühlte ab, und sie kehrte nach Hause zurück. Abgesehen von ihr gab es nichts.«

Sie schwiegen und dachten über Stefan Lindmans Aussage nach.

»Niemand ist als vermisst gemeldet«, sagte Martinsson nach einer Weile. »Aber eine Frau wird in einem Garten vergraben. Sie ist ermordet worden. Jemand muss sie vermisst haben.«

»Sie kann ja von sonst woher gekommen sein«, sagte Stefan Lindman. »Eine landesweite Erfassung aller Frauen im passenden Alter, die in jenen Jahren verschwunden sind, würde natürlich ein ganz anderes Resultat ergeben. Außerdem war damals Krieg, und viele Menschen waren in Bewegung. Unter anderem Flüchtlinge, die wohl kaum ordnungsgemäß gemeldet waren.«

Wallander verfolgte einen anderen Gedanken.

»Ich sehe es so«, sagte er. »Wir wissen nicht, wer die Frau ist. Wir wissen aber, dass sie begraben wurde. Jemand hat einen Spaten in der Hand gehalten und sie vergraben. Es gibt keinen Grund, daran zu zweifeln, dass dieser Mann sie auch getötet hat. Oder eine Frau, das ist nicht ausgeschlossen. Dann müssen wir da anfangen. Wer hat den Spaten in der Hand gehalten? Warum wurde die Tote in Karl Erikssons Garten vergraben?«

»Nicht Karl Erikssons Garten«, sagte Martinsson. »Ludvig Hanssons Garten.«

Wallander nickte.

»Da müssen wir anfangen«, sagte er. »Bei Ludvig Hansson und seiner Familie, die damals Eigentümer des Hofs waren. Alle Erwachsenen, die damals lebten, sind tot. Aber es gab Kinder. Da müssen wir anfangen. Bei Ludvig Hanssons Kindern.«

»Soll ich weitermachen?«, fragte Stefan Lindman. »Mit dem Rest von Schweden? Verschwundene Frauen zwischen 1935 und 1955?«

»Ja«, sagte Wallander. »Irgendwo ist diese Frau als vermisst gemeldet. Irgendwo ist sie.«

14.

Wallander brauchte drei Tage, um das einzige noch lebende Kind von Ludvig Hansson ausfindig zu machen. Stefan Lindman hatte in diesen drei Tagen alle verschwundenen Frauen in dem betreffenden Zeitraum erfasst und unter ihnen zwei gefunden, die das richtige Alter hatten. Aber er und seine Kollegen zweifelten an einem Treffer. In einem Fall ging es um eine Frau, die in Timrå in der Nähe von Sundsvall gewohnt hatte, als sie verschwand, und im anderen Fall um eine Frau namens Maria Teresa Arbåge, die bei ihrem Verschwinden in Luleå gewohnt hatte.

Martinsson hatte inzwischen das Katasteramt aufgesucht und dort erfahren, dass der von Ludvig Hansson verkaufte Hof seit Mitte des 19. Jahrhunderts seiner Familie gehört hatte. Der erste Hansson hatte eigentlich Hansen geheißen und stammte aus der nördlich gelegenen Gegend an der Grenze nach Småland. Wallander und Martinsson hatten sich natürlich gefragt, warum der Familienhof plötzlich verkauft worden war. Konnte es ein Motiv geben, das Licht auf die Frau im Garten werfen würde?

Auch Linda hatte eine Idee gehabt, die Wallander, wenn auch etwas widerwillig, für ausgezeichnet hielt. Sie meinte, man sollte versuchen, ältere Luftbilder des Hofes aufzutreiben, älter als jenes, das in dem Haus in Löderup an der Wand hing. War der Garten verändert worden? Und wenn ja, wann? Und was war mit dem Giebelhaus, das es einmal gegeben hatte, das jetzt aber verschwunden war?

Wallander durchforstete Kirchenbücher und Melderegister. Am Ende hatte er das letzte noch lebende von Ludvig

Hanssons vier Kindern gefunden. Es war eine Frau namens Kristina, 1937 geboren, ein Nachkömmling der Eheleute Ludvig und Alma Hansson. Sie hieß nach ihrer Heirat Fredberg und lebte in Malmö. Wallander verspürte eine gewisse Spannung, als er den Telefonhörer abnahm und ihre Nummer wählte.

Eine junge Frau meldete sich. Er nannte seinen Namen und sein polizeiliches Anliegen und bat darum, mit Kristina Fredberg sprechen zu können. Die Frau bat ihn zu warten.

Kristina Fredberg hatte eine freundliche Stimme. Wallander erklärte, dass er im Rahmen der Ermittlungen um einen Fund, der im Garten in Löderup gemacht worden sei, mit ihr sprechen wolle.

»Ich habe in der Zeitung davon gelesen«, sagte Kristina Fredberg. »Ich kann mir kaum vorzustellen, dass es in dem Garten passiert ist, in dem ich als Kind gespielt habe. Wissen Sie überhaupt nicht, wer sie ist?«

»Nein.«

»Ich glaube kaum, dass ich Ihnen etwas erzählen kann, was Ihnen weiterhilft.«

»Ich muss mir ein Bild machen. Ein allgemeines Bild.«

»Sie können vorbeikommen, wann Sie wollen«, sagte sie. »Ich bin Witwe und habe alle Zeit der Welt. Mein Mann ist seit zwei Jahren tot. Er hatte Krebs, es ging schnell.«

»War das Ihre Tochter, die das Telefon abgenommen hat?«

»Lena, meine Jüngste. Der Türcode ist 1225.«

Sie verabredeten, dass Wallander sie noch am gleichen Tag in Malmö besuchen würde. Ohne eigentlich zu wissen warum, rief er Linda an und fragte, ob sie ihn begleiten wolle. Nach zwei Nachtschichten hatte sie frei, und er hatte sie geweckt. Doch im Gegensatz zu ihm wurde sie selten böse, wenn sie aus dem Schlaf gerissen wurde. Sie verabredeten, dass er sie eine Stunde später abholen würde, um elf Uhr.

Es war windig und regnerisch auf dem Weg nach Malmö.

Wallander hatte eine Kassette mit einer Aufnahme von *La Bohème* eingelegt. Weil Linda keine große Opernfreundin war, hatte er die Musik leise gestellt. Als sie nach Svedala kamen, schaltete er ganz ab.

»Södra Förstadsgatan«, sagte er. »Sie wohnt mitten im Zentrum.«

»Haben wir Zeit, nachher ein wenig zu bleiben?«, fragte Linda. »Ich würde gern in ein paar Geschäfte gehen. Es ist so lange her.«

»Was für Geschäfte denn?«

»Klamotten. Ich will mir einen Pulli kaufen. Zum Trost.«

»Zum Trost wofür?«

»Dass ich mich einsam fühle.«

»Wie geht es denn mit dir und Stefan?«

»Gut. Aber einsam kann man sich trotzdem fühlen.«

Wallander sagte nichts. Er wusste nur zu gut, was Linda meinte.

Er parkte den Wagen beim Triangel. Im beißenden Wind suchten sie nach der Adresse. Wallander hatte den Türcode in seine Hand geschrieben.

Kristina Fredberg wohnte in der obersten Etage des Hauses. Es gab keinen Aufzug. Wallander keuchte, als sie oben ankamen. Linda sah ihn streng an.

»Du bekommst bald einen Herzinfarkt, wenn du nicht Sport treibst.«

»Mein Herz ist in Ordnung. Ich bin mit Kabeln am ganzen Körper Rad gefahren, und das Ergebnis war okay. Mein Blutdruck liegt bei 135/80. Das ist auch gut. Außerdem sind meine Blutfette im grünen Bereich. Fast jedenfalls. Meinen Diabetes habe ich unter Kontrolle. Im Übrigen gehe ich einmal im Jahr zur Prostata-Untersuchung. Reicht das, oder willst du alle Angaben schriftlich?«

»Du bist nicht ganz gescheit«, sagte Linda. »Aber ziemlich witzig. Klingle jetzt.«

Kristina Fredberg war eine Frau von jugendlichem Aussehen. Wallander fiel es schwer zu glauben, dass sie fünfundsechzig war. Er hätte sie auf gut fünfzig geschätzt.

Sie bat sie ins Wohnzimmer. Ein Kaffeetablett stand auf dem Tisch. Sie hatten sich gesetzt, als eine Frau in Lindas Alter hereinkam. Sie stellte sich als Lena vor. Wallander konnte sich nicht erinnern, wann er zuletzt eine so schöne Frau gesehen hatte. Sie glich ihrer Mutter, sprach mit der gleichen Stimme wie sie, und als sie lächelte, hätte er sie am liebsten berührt.

»Stört es, wenn ich mich dazusetze?«, fragte sie. »Aus reiner Neugier?«

»Überhaupt nicht«, sagte Wallander.

Sie setzte sich zu ihrer Mutter aufs Sofa. Wallander konnte es nicht lassen, einen Blick auf ihre Beine zu werfen. Dann merkte er, dass Linda ihn mit gerunzelter Stirn ansah. Warum habe ich sie bloß gebeten mitzukommen?, dachte er. Um ihr weitere Gründe zu liefern, mich zu kritisieren?

Kristina Fredberg goss Kaffee ein. Wallander zog seinen Notizblock und einen Stift hervor. Aber er hatte natürlich nicht daran gedacht, auch die Brille einzustecken. Er schob den Block wieder in die Tasche.

»Sie sind 1937 geboren«, sagte Wallander. »Sie waren das jüngste von vier Geschwistern.«

»Ich war ein Nachkömmling. Ich glaube nicht, dass ich besonders erwünscht war. Eher ein Betriebsunfall.«

»Warum glauben Sie das?«

»So etwas spürt man als Kind. Aber niemand hat etwas gesagt.«

»Sie sind dort auf dem Hof aufgewachsen?«

»Ja und nein. Bis zum November 1942 lebten wir das ganze Jahr da. Dann zog Mama mit mir und meinen Geschwistern für ein paar Jahre nach Malmö.«

»Warum das?«

Wallander merkte, dass sie beinahe unmerklich mit der Antwort zögerte.

»Mein Vater und meine Mutter hatten sich zerstritten. Aber sie ließen sich nicht scheiden. Was passiert war, weiß ich nicht. Wir lebten einige Jahre in einer Wohnung in Limhamn. Dann, im Frühjahr 1945, zogen wir wieder zurück. Sie hatten sich versöhnt. Ich fragte meine Mutter in späteren Jahren, warum sie sich zerstritten hatten, aber sie wollte nicht darüber reden. Ich sprach auch mit meinen Geschwistern darüber. Es war wohl nichts Besonderes vorgefallen. Die Ehe war plötzlich auseinandergebrochen. Meine Mutter nahm uns Kinder mit und zog aus. Eines Tages hatten sie sich wieder versöhnt. Und dann hielten sie zusammen bis zum Tod. Ich erinnere mich an meine Eltern als Menschen, die sich liebten. Was in den Jahren während des Krieges geschah, als ich klein war, ist mir nur undeutlich in Erinnerung. Eine dunkle Erinnerung.«

»In diesen Jahren lebte Ihr Vater also allein auf dem Hof?«

»Das Vieh musste doch versorgt werden. Mein ältester Bruder sagte, er hätte zwei Knechte gehabt. Einer war als Flüchtling aus Dänemark gekommen. Aber niemand wusste etwas Genaueres. Mein Vater war nicht besonders mitteilsam.«

Wallander überlegte. Eine Frage ergab sich plötzlich wie von selbst.

»Hatte er vielleicht eine andere Frau getroffen?«

»Nein.«

»Wie können Sie da so sicher sein?«

»Ich weiß es einfach.«

»Können Sie das näher erklären?«

»Meine Mutter wäre nie auf den Hof zurückgegangen, wenn mein Vater eine Geliebte gehabt hätte. Und das wäre nicht geheim geblieben.«

»Meine Erfahrung sagt mir, dass man Geheimnisse haben kann, wo immer man wohnt.«

Wallander sah, dass Linda interessiert die Augenbrauen hochzog.

»Das kann man sicher. Aber nicht vor meiner Mutter. Sie verfügte über eine Intuition, wie ich sie bei keinem anderen Menschen bemerkt habe.«

»Außer bei mir«, sagte ihre Tochter Lena.

»Das stimmt. Das hast du von deiner Großmutter geerbt. Vor dir kann man die Wahrheit auch nicht verbergen.«

Kristina Fredberg wirkte überzeugend. Wallander war sicher, dass sie nicht bewusst versuchte, etwas zu verschweigen, was für die Polizei vielleicht wichtig war. Aber konnte sie wirklich so sicher sein, was ihr Vater getan oder nicht getan hatte, als er die drei Jahre während des Krieges allein auf dem Hof gelebt hatte?

»Die beiden Knechte«, sagte er. »Einer kam aus Dänemark? Wie hieß er?«

»Jörgen. Das weiß ich noch. Aber er ist tot. Er starb an einer Krankheit, ich glaube, es waren die Nieren. Er starb schon in den Fünfzigerjahren.«

»Es gab noch einen zweiten Knecht?«

»Das behauptete mein Bruder Ernst. Aber einen Namen habe ich nie gehört.«

»Vielleicht gibt es Bilder? Oder Lohnzettel?«

»Ich glaube eher, dass mein Vater ohne Papiere bezahlt hat. Und Fotos habe ich nie gesehen.«

Wallander goss sich Kaffee nach.

»Kann es eine Magd gewesen sein?«, fragte Linda plötzlich.

Wallander wurde ärgerlich wie jedes Mal, wenn er meinte, Linda habe sich einen Übertritt in seine Domäne erlaubt. Sie konnte dabei sein und zuhören und lernen, aber sie sollte keine eigene Initiative ergreifen, ohne vorher mit ihm zu sprechen.

»Nein«, antwortete Kristina Fredberg. »Damals gab es keine Mägde. Haushälterinnen vielleicht. Aber keine Mägde. Ich bin wirklich überzeugt, dass mein Vater keine Affäre mit einer anderen Frau hatte. Ich weiß nicht, wer die Frau ist, die da im Garten vergraben liegt. Der Gedanke lässt mich schaudern. Aber ich bin sicher, dass mein Vater mit der Sache nichts zu tun hatte. Auch wenn er dort wohnte.«

»Warum sind Sie davon überzeugt? Entschuldigen Sie, dass ich diese Frage stelle.«

»Mein Vater war ein freundlicher und friedlicher Mann. Er hat nie einem Menschen etwas zuleide getan. Ich kann mich nicht erinnern, dass er jemals einen meiner Brüder geschlagen oder auch nur an den Haaren gezogen hat. Er war ganz einfach unfähig dazu, ärgerlich zu werden. Muss man nicht trotz allem ein wenig unkontrollierte Wut in sich haben, um einen anderen Menschen zu töten? Das glaube ich jedenfalls.«

Wallander hatte nur noch eine Frage.

»Ihre Geschwister sind tot. Aber gibt es sonst jemanden, mit dem ich Ihrer Meinung nach sprechen sollte? Jemanden, der andere Erinnerungsbilder haben könnte?«

»Das ist so lange her. Alle aus der Generation meiner Eltern sind schon lange fort. Meine Geschwister auch, wie gesagt. Ich wüsste nicht, wer das sein könnte.«

Wallander stand auf. Er gab den beiden Frauen die Hand. Linda und er verließen die Wohnung.

Auf der Straße stellte Linda sich vor ihn hin.

»Ich will keinen Vater, dem beim Anblick eines hübschen Mädchens, das jünger ist als ich, der Sabber aus dem Mund läuft.«

Wallander fuhr aus der Haut.

»Sag mal, spinnst du? Ich hab nicht gesabbert. Ich fand sie hübsch. Aber erzähl mir nicht, dass ich mich danebenbenehme. Du kannst mit dem Zug nach Ystad zurückfahren. Und ausziehen und woanders wohnen.«

Er drehte sich um und ging los. Erst als er schon beim Wagen war, holte sie ihn ein. Sie stellte sich wieder vor ihn.

»Ich bitte um Entschuldigung. Ich wollte dich nicht verletzen.«

»Ich will nicht, dass du mich erziehst. Und ich will nicht, dass du mich zwingst, jemand zu werden, der ich nicht bin.«

»Ich sage ja, dass ich mich entschuldige.«

»Das höre ich.«

Linda wollte noch mehr sagen. Aber Wallander stoppte sie mit einer Handbewegung. Es reichte jetzt. Das Gespräch brauchte nicht fortgeführt zu werden.

Sie fuhren nach Ystad zurück. Erst hinter Svaneholm begannen sie wieder miteinander zu sprechen. Linda teilte seine Meinung, dass trotz allem etwas in den Jahren geschehen sein konnte, in denen Ludvig Hansson allein auf seinem Hof gelebt hatte.

Wallander versuchte, sich einen Ereignisverlauf vorzustellen. Aber da war nichts. Nur diese Hand, die aus dem Boden ragte.

Der Wind wehte schärfer. Er dachte, dass der Winter jetzt sehr nah war.

15.

Am Tag danach, Freitag, dem 8. November, wachte Wallander früh auf. Er hatte geschwitzt und versuchte, sich daran zu erinnern, was er geträumt hatte. Es war etwas mit Linda gewesen. Vielleicht ein Echo der Auseinandersetzung vom Vortag. Aber seine Erinnerung gab nichts her. Der Traum hatte die Tür hinter sich geschlossen.

Es war zehn vor fünf. Er blieb im Dunkeln liegen. Der Regen trommelte gegen sein Schlafzimmerfenster. Vergeblich versuchte er, wieder einzuschlafen. Nachdem er sich bis sechs Uhr im Bett hin und her geworfen hatte, stand er auf. Er blieb vor Lindas Tür stehen und horchte. Sie schnarchte leicht.

Er machte Kaffee und setzte sich in die Küche. Der Regen kam und ging in Böen. Ohne eigentlich darüber nachgedacht zu haben, nahm er sich vor, den Arbeitstag mit einem Besuch draußen auf dem Hof zu beginnen, wo sie das Skelett gefunden hatten. Was er sich davon versprach, wusste er nicht genau. Aber er kehrte oft an Tatorte zurück, nicht zuletzt, um seine ersten Eindrücke mit den hinzugekommenen abzugleichen.

Eine halbe Stunde später verließ er Ystad, und als er den Hof in Löderup erreichte, begann es gerade zu dämmern. Die Absperrbänder der Polizei waren noch da. Langsam ging er ums Haus und durch den Garten und fragte sich, ob er etwas sah, was ihm vorher nicht aufgefallen war. Was es hätte sein können, wusste er nicht. Etwas, das sich abhob, das abstach. Gleichzeitig versuchte er wieder, sich einen Ereignisverlauf vorzustellen.

Hier hat es einmal eine Frau gegeben, die diesen Ort nie mehr verlassen hat. Aber irgendjemand muss sich gefragt haben, wo sie geblieben ist. Und man hat ganz offenbar nicht hier gesucht. Keiner hat einen Verdacht gehabt, der dazu geführt hätte, dass die Polizei sich für diesen Hof interessierte.

Er blieb neben der Grube stehen, über die eine schmutzige Plane gespannt war.

Warum war der Körper gerade hier vergraben worden? Der Garten war groß. Jemand hatte eine Wahl getroffen. Hier, genau hier, und nicht anderswo.

Er ging weiter umher, während er die Fragen, die er formulierte, im Gedächtnis abspeicherte. In einiger Entfernung war ein Traktor zu hören. Eine einsame Weihe schwebte in der Luft und schoss plötzlich hinunter auf einen der Äcker, die das Haus umgaben. Er ging zur Grube zurück und sah sich noch einmal um. Eine Stelle neben einigen Johannisbeersträuchern weckte jetzt seine Aufmerksamkeit. Zuerst wusste er nicht genau, warum. Es war etwas mit den Proportionen im Verhältnis der Büsche zueinander. Der Garten war durch verschiedene Symmetrien geprägt, alles, was gepflanzt war, bildete Muster. Und auch wenn der Garten verwahrlost war, konnte er all diese Muster erkennen. Und etwas mit den Johannisbeersträuchern stimmte nicht.

Die Büsche waren eine Ausnahme, die gegen eine den Garten beherrschende Regelmäßigkeit verstieß.

Nach ein paar Minuten sah er, was es war. Es war kein Muster, das gestört worden war. Es war ein Muster, das fehlte. Die Sträucher einer Reihe standen krumm und schief – in einem Garten, der wie mit dem Lineal angelegt zu sein schien.

Er ging näher heran und untersuchte die Stelle genauer. Die Unordnung war nicht zu leugnen. Aber er konnte nicht erkennen, ob die Johannisbeersträucher zu verschiedenen Zeiten gepflanzt worden waren. Sie wirkten alle gleich alt.

Er überlegte. Die einzige Erklärung, auf die er kam, war die, dass die Büsche zu einem bestimmten Zeitpunkt ausgegraben und anschließend wieder eingesetzt worden waren, und zwar von jemandem, der keinen Sinn für Symmetrie hatte.

Aber es gab noch eine andere Möglichkeit. Die Person, die die Büsche ausgegraben und wieder eingesetzt hatte, konnte es eilig gehabt haben.

Inzwischen war es acht Uhr und taghell. Er setzte sich auf eine der moosbewachsenen Steinbänke und betrachtete die Johannisbeersträucher. Bildete er sich etwas ein? Nach einer Viertelstunde war er sich sicher. Die Unordnung der Johannisbeersträucher erzählte eine Geschichte. Entweder von jemandem, der schlampig gewesen war, oder von jemandem, der es eilig gehabt hatte. Natürlich konnte es sich auch um ein und dieselbe Person handeln.

Er nahm sein Handy heraus und rief Nyberg an, der gerade an seinen Arbeitsplatz gekommen war.

»Tut mir leid, dass ich dich beim letzten Mal so spät angerufen habe«, sagte Wallander.

»Wenn es dir wirklich leid täte, hättest du schon vor langer Zeit aufgehört, mich zu jeder Zeit und Unzeit zu Hause anzurufen. Du hast mich schon um vier oder fünf Uhr am Morgen angerufen, ohne eine Frage zu haben, die nicht auch bis zu einer christlichen Zeit hätte warten können. Ich kann mich nicht erinnern, dass du dabei je um Entschuldigung gebeten hättest.«

»Ich bin vielleicht ein besserer Mensch geworden.«

»Wer's glaubt, wird selig! Was willst du?«

Wallander erzählte, wo er war. Und von seinem Gefühl, dass etwas nicht stimmte. Nyberg war ein Mann, der die Bedeutung der Tatsache, dass Johannisbeersträucher nicht ordentlich in einer Reihe standen, verstehen konnte.

»Ich komme raus«, sagte Nyberg, als Wallander geendet hatte. »Aber ich komme allein. Hast du einen Spaten im Wagen?«

»Nein. Aber es gibt bestimmt einen hier im Schuppen.«

»Das meine ich nicht. Ich habe meinen eigenen. Ich wollte

nur sichergehen, dass du nicht auf eigene Faust da draußen herumbuddelst.«

»Ich rühre nichts an, bis du kommst.«

Sie beendeten das Gespräch. Wallander setzte sich ins Auto, weil er fror. Abwesend hörte er aufs Autoradio. Jemand berichtete von einem neuen Typ von ansteckender Krankheit, man hatte den Verdacht, dass sie von gewöhnlichen Zecken übertragen wurde.

Er schaltete das Radio aus und wartete.

Nach neunzehn Minuten bog Nyberg auf den Hof ein. Er trug Gummistiefel, einen Overall und eine eigentümliche alte Jägermütze, die er tief über die Ohren gezogen hatte. Er holte einen Spaten aus dem Kofferraum.

»Wir können von Glück sagen, dass du nicht über die Hand gestolpert bist, als der Boden gefroren war.«

»Hier gibt es ja selten Bodenfrost vor Weihnachten. Wenn es denn überhaupt welchen gibt.«

Nyberg murmelte etwas Unverständliches zurück. Sie gingen zu der Stelle hinter dem Haus. Wallander sah Nyberg an, dass ihm die Bedeutung seiner Beobachtung an den Johannisbeersträuchern unmittelbar einleuchtete. Nyberg stieß die Spitze des Spatens in die Erde, als suchte er nach etwas.

»Die Erde ist fest«, sagte er. »Was in der Regel bedeutet, dass hier lange nicht gegraben worden ist. Die Wurzeln der Sträucher binden die Erde.«

Er begann zu graben. Wallander stand daneben. Es dauerte nur wenige Minuten, bis Nyberg das Graben einstellte und mit den Fingern im Erdreich suchte. Er holte etwas heraus, das einem kleinen Stein glich, und reichte es Wallander.

Es war ein Zahn. Der Zahn eines Menschen.

16.

Zwei Tage später war der ganze Garten umgegraben, sowohl vor als auch hinter Karl Erikssons Haus. An der Stelle, wo Nyberg den Spaten angesetzt und Wallander den Zahn in die Hand genommen hatte, waren sie auf ein weiteres Skelett gestoßen, das von Stina Hurlén und den anderen Gerichtsmedizinern in Lund als die Überreste eines Mannes bezeichnet wurde. Auch er war an die fünfzig Jahre alt gewesen, auch er hatte lange in der Erde gelegen. Doch sein Schädel wies eine Verletzung auf, wie von einem Schlag mit einem harten Gegenstand. Es hatte natürlich einen gewaltigen Wirbel gegeben, als die Neuigkeit von dem zweiten Skelettfund die Medien erreichte. In großen schwarzen Lettern sprachen die Schlagzeilen vom »Garten des Todes« oder vom »Tod zwischen den Johannisbeersträuchern«.

Liza Holgersson konnte jetzt nicht mehr umhin, Mittel bereitzustellen. Wallander übernahm die Leitung der Ermittlung gemeinsam mit einer Staatsanwältin, die nach einer Dienstbefreiung für eine Fortbildung gerade erst zurückgekehrt war. Sie sagte ihm, er solle den Fall gründlich untersuchen und sich Zeit nehmen. Bevor man nicht die Identität der Toten festgestellt habe, könne man nur sehr wenig tun, um einen Schuldigen ausfindig zu machen.

Stefan Lindman war weiterhin zuständig für die Suche in den Registern nach Fällen in der Vergangenheit, die ihnen Anhaltspunkte liefern konnten. Zuerst war es eine Frau gewesen, jetzt waren es zwei Verschwundene. Es gingen verschiedene Hinweise aus der Bevölkerung ein, Schatten von Menschen, die vor vielen Jahren auf rätselhafte Weise verschwunden waren. Wallander stellte noch einen Polizisten ab, um Stefan Lindman bei der Bearbeitung aller eingehenden Tipps zu unterstützen.

Nach zwei Wochen, als der November schon fast vorbei war, hatten sie immer noch keine Fortschritte bei der Identifizierung der Toten gemacht. An einem Donnerstagnachmittag rief Wallander seine Mitarbeiter in einem großen Sitzungsraum zusammen, bat sie, ihre Handys abzuschalten, und legte einen gründlichen Lagebericht vor. Sie gingen zu den Ausgangspunkten zurück, nahmen die technischen und medizinischen Berichte erneut unter die Lupe und hörten ein – Wallander zufolge – glänzendes Referat von Stefan Lindman. Nach vier Stunden, als alle Punkte besprochen waren, konnte Wallander nach einer Lüftungspause eine Zusammenfassung geben.

Er brauchte nur wenige Worte, um zu sagen, worüber sich alle einig waren.

Wir treten auf der Stelle.

Sie hatten zwei Skelette, zwei Personen um die fünfzig, die ermordet worden waren. Aber sie kannten die Identität der Toten nicht und hatten auch sonst nichts in der Hand, womit sie weiterarbeiten konnten.

»Die Vergangenheit hat ihre Türen zugeschlagen«, sagte Wallander, als sie freier miteinander redeten.

Es war nicht nötig, neue Aufgaben zu verteilen. Sie folgten weiter den Wegen, die sie bereits eingeschlagen hatten. Bevor sie nicht wussten, wer diese beiden Menschen gewesen waren, steckten sie fest.

In den vergangenen Wochen hatten Wallander und Martinsson mit wachsender Ungeduld nach Menschen gesucht, die mehr über die Kriegsjahre erzählen könnten, in denen Ludvig Hansson allein auf dem Hof gelebt hatte. Aber sie waren alle schon tot. Wallander hatte ein wiederkehrendes absurdes Gefühl, dass er eigentlich die Grabsteine auf den umliegenden Friedhöfen vernehmen müsste. Dort waren alle denkbaren Zeugen und Beteiligten. Dort konnte auch ein Täter liegen, mit all den Antworten, nach denen Wallander und seine Kollegen suchten.

Martinsson teilte sein Gefühl der Aussichtslosigkeit, noch einen lebenden Menschen zu finden, der ihnen weiterhelfen konnte. Aber natürlich gaben sie nicht auf. Sie hielten sich an die Polizeiroutine, tauchten ein in verschiedene Archive und alte Verbrechensermittlungen, suchten weiter nach Zeugen, die vielleicht trotz ihres Alters etwas erzählen könnten.

Eines Abends, als Wallander mit Kopfschmerzen nach Hause kam, setzte Linda sich zu ihm in die Küche und fragte, wie sie vorankämen.

»Wir geben nicht auf«, entgegnete er. »Wir geben niemals auf.«

Sie fragte nicht weiter. Sie kannte ihren Vater.

Er hatte gesagt, was er zu sagen hatte.

17.

Am 29. November gab es kräftige Schneefälle in Schonen. Die Unwetterfront zog von Westen heran und legte stundenlang nahezu den gesamten Flugverkehr in Sturup lahm. Auf der Landstraße zwischen Malmö und Ystad kamen zahlreiche Autos von der Straße ab. Doch nach einigen Stunden ließ der starke Wind plötzlich nach, es wurde milder, und der Schneefall ging in Regen über.

Wallander stand am Fenster seines Büros im Polizeipräsidium und schaute hinaus auf die Straße, wo der Schnee vom Regen fortgewaschen wurde. Sein Telefon klingelte. Wie üblich fuhr er zusammen. Er meldete sich.

»Hier ist Simon«, sagte eine Stimme.

»Simon?«

»Simon Larsson. Früher waren wir einmal Kollegen.«

Wallander war erstaunt und glaubte zunächst, er habe falsch verstanden. Simon Larsson war Polizist in Ystad gewesen, als Wallander aus Malmö gekommen war. Es war viele Jahre her, und Simon Larsson war schon damals alt gewesen. Zwei Jahre nach Wallanders Ankunft in Ystad war er in Pension gegangen und vom damaligen Polizeipräsidenten verabschiedet worden. Simon Larsson hatte danach, soweit Wallander wusste, nie einen Besuch im Präsidium gemacht. Er hatte ein für alle Mal die Verbindungen gekappt. Irgendwann hatte Wallander gehört, Simon Larsson habe nördlich von Simrishamn eine kleine Apfelplantage, der er seine gesamte Zeit widmete.

Wallander hätte nicht gedacht, dass Simon Larsson noch lebte. Er rechnete rasch im Kopf nach und kam zu dem Ergebnis, dass er mindestens fünfundachtzig Jahre alt sein musste.

»Ich erinnere mich gut an dich«, sagte Wallander. »Aber ich muss sagen, dass dein Anruf mich überrascht.«

»Du hast bestimmt gedacht, ich wäre tot. Manchmal denke ich das auch.«

Wallander erwiderte nichts.

»Ich habe von den beiden Toten gelesen, die ihr gefunden habt«, fuhr Larsson fort. »Ich kann dir dazu vielleicht etwas sagen.«

»Was meinst du?«

»Das, was ich sage. Wenn du zu mir kommst, habe ich vielleicht, aber wirklich nur vielleicht, etwas zu erzählen, was von Bedeutung sein kann.«

Simon Larsson sprach mit klarer und wacher Stimme. Wallander schrieb seine Adresse auf. Es war ein Seniorenheim am Ortsrand von Tomelilla. Wallander versprach, ihn sofort zu besuchen. Er ging in Martinssons Zimmer, aber der Kollege war nicht da. Sein Handy lag auf dem Tisch. Wallander zuckte mit den Schultern und beschloss, allein nach Tomelilla zu fahren.

Simon Larsson war ein gebrechlicher Mann mit zerfurchtem Gesicht. Er trug ein Hörgerät. Er öffnete die Tür und bat Wallander in eine Seniorenwohnung, die in ihrer Kargheit erschreckend wirkte. Wallander hatte das Gefühl, ins Vorzimmer des Todes einzutreten. Die Wohnung bestand aus zwei Zimmern. Durch eine halb geöffnete Tür konnte Wallander eine alte Frau sehen, die auf einem Bett ruhte. Mit zitternden Händen goss Simon Larsson Kaffee ein. Wallander war beklommen zumute. Es kam ihm vor, als sähe er sich selbst in einigen Jahrzehnten vor sich. Was er sah, gefiel ihm nicht. Er setzte sich in einen abgewetzten Sessel. Sofort sprang eine Katze auf seinen Schoß. Wallander scheuchte sie nicht fort. Er mochte lieber Hunde, hatte aber nichts dagegen, dass Katzen ihm dann und wann ihre Aufmerksamkeit erwiesen.

Simon Larsson setzte sich auf einen Küchenstuhl dicht neben ihn.

»Ich höre schlecht. Aber ich sehe noch gut. Dass ich die Leute sehen will, mit denen ich rede, hat sicher mit all den Jahren bei der Polizei zu tun.«

»Mir geht es auch so«, sagte Wallander. »Es ist eine Angewohnheit, die aber auch ihr Gutes hat. Was wolltest du erzählen?«

Simon Larsson holte tief Luft, als müsste er Anlauf nehmen.

»Ich bin im August 1917 geboren«, sagte er. »Es war ein warmer Sommer, bevor der Krieg endete. 1937 fing ich beim Amtsanwalt in Lund an zu arbeiten, und in den Sechzigerjahren, als die Polizei verstaatlicht wurde, kam ich nach Ystad. Ich arbeitete damals ein paar Jahre hier in Tomelilla. Es wurde damals noch nicht so genau genommen mit den Regierungsbezirken, manchmal halfen wir in Ystad aus, und manchmal waren sie hier. Aber irgendwann während des Krieges fand man eines Tages in der Gegend von Löderup einen alten Wagen und ein Pferd an einer Straße.

»Ein Pferd? Und ein Wagen? Ich verstehe nicht ganz.«

»Das wirst du schon noch, wenn du mich nicht unterbrichst. Es war im Herbst. Jemand rief hier in Tomelilla an. Ein Mann aus Löderup. Er hätte in Ystad anrufen sollen, aber er rief im Haus des Polizeikommissariats hier in Tomelilla an. Er wollte berichten, dass er ein Pferd mit einem Wagen beobachtet hatte, das da auf einer Straße entlangzockelte, ohne dass Leute im Wagen oder auf dem Kutschbock saßen. Ich war an dem Morgen allein im Büro. Weil ich damals gerade den Führerschein gemacht hatte, rief ich nicht in Ystad an, sondern fuhr selbst nach Löderup. Und tatsächlich war da ein Pferd vor einem Wagen ohne Leute. Man konnte sehen, dass die Leute, die sonst in dem Wagen wohnten, das waren, was man damals *Zigeuner* nannte. Heute nennt man sie Reisende, was entschieden anständiger ist. Aber sie waren weg.

Das Ganze war seltsam. Das Pferd und der Wagen waren dort am frühen Morgen einfach aufgetaucht. Sieben Tage zuvor hatte man sie in Kåseberga gesehen, es waren ein Mann und eine Frau, beide um die fünfzig. Er war Scheren- und Messerschleifer, sie waren freundlich und zuverlässig, und dann plötzlich waren sie verschwunden.«

»Sind sie nie wieder aufgetaucht?«

»Meines Wissens nicht. Ich dachte, dass dir dies vielleicht helfen könnte.«

»Absolut. Was du da erzählst, ist äußerst interessant. Sonderbar nur, dass niemand sie als vermisst gemeldet hat. Dann hätten wir sie in unseren Registern gefunden.«

»Ich weiß nicht genau, wie es damals weiterging. Jemand hat das Pferd genommen, und der Wagen ist wohl verrottet. Ich glaube, man hat sich nicht viel um diese *Reisenden* gekümmert. Ich weiß noch, dass ich ein paar Jahre später nachgefragt habe. Aber niemand wusste etwas. Die Vorurteile damals waren schlimm. Aber das sind sie vielleicht heute noch.«

»Fällt dir sonst noch etwas ein?«

»Es ist so lange her. Ich bin schon froh, dass ich das hier noch weiß.«

»Kannst du sagen, welches Jahr es war?«

»Nein. Aber es stand viel darüber in den Zeitungen. Das muss doch zu finden sein.«

Wallander hatte es plötzlich eilig. Er trank seinen Kaffee aus und stand auf.

»Ich bin dir dankbar, dass du dich gemeldet hast. Es kann sehr wichtig sein. Ich lasse dich wissen, wie es weitergeht.«

»Aber warte nicht zu lange«, sagte Simon Larsson. »Ich bin alt. Ich kann jeden Tag sterben.«

Wallander verließ Tomelilla. Er fuhr schnell. Zum ersten Mal hatte er das Gefühl, in der laufenden Ermittlung nicht mehr weit vom Durchbruch entfernt zu sein.

18.

Martinsson brauchte vier Stunden, um auf Mikrofilm gespeicherte alte Exemplare von *Ystads Allehanda* aufzutreiben, in denen etwas über den mysteriösen Wagen und das Pferd zu lesen war. Weitere zwei Stunden später kam er mit einem Berg von Kopien der betreffenden Seiten zurück ins Präsidium. Gemeinsam mit Stefan Lindman setzten Wallander und Martinsson sich in ein Sitzungszimmer.

»Es fängt am 5. Dezember 1944 an«, sagte Martinsson. »*Ystads Allehanda* hat über dem Artikel die Schlagzeile ›Fliegender Holländer auf der Landstraße‹.«

Sie lasen in der folgenden Stunde alles durch, was Martinsson gefunden hatte. Die beiden Personen, die in dem Wagen gelebt hatten, hießen Richard und Irina Pettersson. Es gab sogar ein unscharfes Bild von ihnen, die Kopie eines Fotos, das eingerahmt in dem Wagen gehangen hatte.

»Simon Larsson hat ein gutes Gedächtnis«, sagte Wallander, als sie die Zeitungstexte durchgelesen hatten. Dafür müssen wir ihm dankbar sein. Früher oder später hätten wir die beiden vielleicht auch ohne ihn gefunden. Aber man weiß es nicht. Die Frage ist, ob dies die Personen sind, nach denen wir suchen.«

»Das Alter stimmt«, sagte Stefan Lindman. »Und der Ort auch. Aber was ist geschehen?«

»Register«, sagte Wallander. »Wir müssen alles über diese beiden herausfinden. Wenn es eine Zeitmaschine gäbe, könnten wir jetzt eine brauchen.«

»Vielleicht hat Nyberg eine«, schlug Stefan Lindman vor.

Wallander und Martinsson lachten schallend. Wallander

stand auf und trat ans Fenster. Martinsson lachte im Hintergrund weiter. Stefan Lindman nieste.

»Wir konzentrieren uns jetzt ein paar Tage auf die Petterssons«, sagte Wallander. »Andere Spuren geben wir nicht auf, lassen sie aber erst einmal ruhen. Abhängen sozusagen. Aber etwas sagt mir, dass diese Spur weiterführt. Es sind zu viele Einzelheiten, die stimmen; es müssten tatsächlich die beiden sein, die wir suchen.«

»In den Zeitungen wird von allen freundlich über sie berichtet«, sagte Martinsson. »Aber zwischen den Zeilen kann man irgendwie spüren, dass es die Leute eigentlich kalt ließ, was passiert war. Es ist das Geheimnisvolle an sich, was lockt. Manchmal hat man das Gefühl, dass die Menschen vor allem Mitleid mit dem Pferd hatten, das mit einem leeren Wagen herumzog. Was meint ihr, wie groß man die Sache aufgemacht hätte, wenn es um zwei alte schonische Bauern gegangen wäre?«

»Du hast recht«, sagte Wallander. Aber bevor wir nicht wissen, wer diese Menschen waren, können wir nicht ausschließen, dass es irgendwo eine Rückseite gab. Jetzt rufe ich die Staatsanwaltschaft an und informiere sie. Und wir machen uns an die Arbeit.«

Sie einigten sich darauf, wer was tun sollte, um das Bild von Richard und Irina Pettersson zu vertiefen. Wallander ging in sein Büro, rief die Staatsanwältin an und erstattete Bericht, bekam grünes Licht für die weitere Ermittlung und las dann das Zeitungsmaterial noch einmal durch.

Danach war das Gefühl, endlich auf der richtigen Spur zu sein, unverändert stark.

19.

Sie arbeiteten konzentriert bis zum 2. Dezember. Das Wetter in Schonen war weiter schlecht. Es stürmte und regnete ununterbrochen. Wallander verbrachte den größten Teil seiner Arbeitstage am Telefon und am Computer, mit dem er nach vielen Jahren endlich gelernt hatte umzugehen. Am Morgen des 2. Dezember hatte er eins von Richard und Irina Peterssons Enkelkindern ausfindig gemacht. Die Frau hieß Katja Blomberg und lebte in Malmö. Als er anrief, meldete sich ein Mann. Katja Blomberg war nicht zu Hause, aber Wallander hinterließ seine Telefonnummer und wies auf die Dringlichkeit hin, ohne genau zu sagen, worum es ging.

Er wartete immer noch auf einen Rückruf, als aus der Anmeldung des Polizeipräsidiums angerufen wurde.

»Du hast Besuch«, sagte eine Mitarbeiterin, deren Stimme er nicht kannte.

»Wer ist es denn?«

»Eine Frau namens Katja Blomberg.«

Wallander hielt den Atem an.

»Ich komme.«

Er ging hinaus zur Anmeldung. Katja Blomberg war um die vierzig, stark geschminkt, trug einen kurzen Rock und Stiefel mit hohen Absätzen. Ein paar Verkehrspolizisten, die vorbeikamen, warfen Wallander aufmunternde Blicke zu. Er begrüßte Frau Blomberg. Sie hatte einen kräftigen Händedruck.

»Ich dachte, dass ich genauso gut herkommen könnte.«

»Das ist nett.«

»Klar ist das nett! Ich hätte mich ja auch den Deubel drum scheren können, oder? Was wollen Sie?«

Wallander bat sie, mit in sein Büro zu kommen. Auf dem Weg dahin warf er einen Blick in Martinssons Zimmer. Es war wie üblich leer.

Katja Blomberg nahm auf seinem Besucherstuhl Platz und holte ein Päckchen Zigaretten heraus.

»Lieber nicht«, sagte Wallander.

»Wollen Sie mit mir reden oder nicht?«

»Das will ich.«

»Dann rauche ich. Nur dass Sie Bescheid wissen.«

Wallander hatte keine Lust darauf, sich mit ihr zu streiten. Zigarettenrauch störte ihn auch nicht besonders. Er stand auf, um etwas zu suchen, das als Aschenbecher dienen könnte.

»Nicht nötig. Ich habe meinen Aschenbecher dabei.«

Sie stellte einen kleinen Metallbecher auf die Schreibtischkante und zündete ihre Zigarette an.

»Ich war es nicht«, sagte sie.

Wallander zog die Augenbrauen hoch.

»Wie bitte?«

»Sie haben doch gehört, was ich gesagt habe. Dass ich es nicht war.«

Wallanders Alarmglocken schrillten. Sie sprach offenbar von etwas, von dem sie glaubte, er wisse darüber Bescheid.

»Wer war es dann?«

»Weiß ich nicht.«

Wallander zog seinen Notizblock und einen Stift zu sich heran.

»Ein paar kleine Formalitäten«, sagte er.

»620202-0445.«

Katja Blomberg hatte also nicht zum ersten Mal mit der Polizei zu tun. Er notierte ihre Personennummer und ihre Adresse und entschuldigte sich dann. Martinsson war immer noch nicht in seinem Zimmer. Dagegen konnte er Stefan Lindman erreichen. Er gab ihm die Personalien.

»Ich muss wissen, was gegen diese Frau vorliegt.«

»Sofort?«

»Sofort.«

Wallander berichtete kurz. Stefan Lindman verstand. Der Tabakqualm hing schwer im Raum, als Wallander zurückkam. Sie rauchte Zigaretten ohne Filter. Wallander kippte sein Fenster an.

»Ich war es nicht«, wiederholte sie.

»Darüber reden wir später«, sagte Wallander. »Jetzt möchte ich mit Ihnen über etwas anderes sprechen.«

Sie war sofort auf der Hut.

»Worüber?«

»Über Ihre Großeltern, Richard und Irina Pettersson.«

»Was zum Teufel haben die denn mit der Sache zu tun?«

Sie drückte ihre Zigarette aus und zündete sich sofort eine neue an. Wallander sah, dass sie ein teures Feuerzeug benutzte.

»Ich muss aus verschiedenen Gründen etwas darüber wissen, was damals passierte, als sie verschwanden. Sie waren zu der Zeit noch nicht geboren. Sie kamen erst zwanzig Jahre später zur Welt. Aber Sie haben doch bestimmt etwas darüber gehört.«

Sie sah ihn an, als wäre er nicht ganz gescheit.

»Haben Sie mit mir Kontakt aufgenommen, um darüber zu reden?«

»Nicht nur.«

»Aber das ist doch hundert Jahre her.«

»Nicht ganz. Nur beinahe sechzig Jahre.«

Sie blickte ihm starr in die Augen.

»Kann ich einen Kaffee haben?«

»Das können Sie. Milch und Zucker?«

»Keine Milch. Kaffeesahne und Zucker.«

»Sahne haben wir nicht. Milch und Zucker kann ich anbieten.«

Wallander holte Kaffee. Weil der Automat nicht richtig funktionierte, dauerte es fast zehn Minuten, bis er zurückkam. Das Zimmer war leer. Er fluchte. Als er auf den Korridor hinaustrat, kam sie ihm von der Toilette entgegen.

»Dachten Sie, ich wäre getürmt?«

»Sie sind weder festgenommen noch verhaftet. Also können Sie gar nicht türmen.«

Sie tranken Kaffee. Wallander wartete. Er fragte sich, worüber er ihrer Erwartung nach mit ihr hätte sprechen sollen.

»Richard und Irina«, sagte er. »Erzählen Sie mal.«

Bevor sie antworten konnte, klingelte sein Telefon. Es war Stefan Lindman.

»Es ging schnell. Soll ich es dir hier am Telefon sagen?«

»Tu das.«

»Katja Blomberg ist zweimal wegen Körperverletzung vorbestraft. Sie hat in Hinseberg gesessen. Außerdem hat sie zusammen mit einem Mann, mit dem sie einige Jahre verheiratet war, einen Bankraub begangen. Jetzt scheint sie als eine von mehreren Verdächtigen wegen eines Raubüberfalls auf ein Lebensmittelgeschäft in Limhamn unter Beobachtung zu stehen. Soll ich weitermachen?«

»Nicht im Moment.«

»Wie läuft es?«

»Darüber reden wir später.«

Wallander legte auf und sah zu Katja Blomberg hinüber, die ihre in grellen Rottönen lackierten Nägel studierte. Die Farben wechselten von Finger zu Finger.

»Ihr Großvater und Ihre Großmutter«, sagte er. »Jemand muss doch etwas erzählt haben. Nicht zuletzt Ihre Eltern. Ihre Mutter. Lebt sie noch?«

»Sie ist vor zwanzig Jahren gestorben.«

»Und Ihr Vater?«

»Als ich zuletzt von ihm habe reden hören, war ich sechs oder sieben Jahre alt. Da saß er wegen Betrugs im Knast. Ich habe nie Kontakt zu ihm aufgenommen. Und er nicht mit mir. Ich weiß nicht, ob er noch lebt. Aber von mir aus kann er gern tot sein. Wenn Sie verstehen, was ich meine.«

»Ich verstehe, was Sie meinen.«

»Tun Sie das?«

»Wir kommen hier viel schneller voran, wenn Sie mich die Fragen stellen lassen. Ihre Mutter muss Ihnen doch etwas erzählt haben.«

»Da gab es doch nicht viel zu erzählen.«

»Aber Ihre Großeltern sind verschwunden. Spurlos. Ist das nicht erzählenswert?«

»Aber Herrgott! Sie sind doch zurückgekommen!«

Wallander starrte sie an.

»Was meinen Sie damit?«

»Was soll ich denn damit meinen!«

»Ich brauche Einzelheiten!«

»Sie sind zurückgekommen. Sie haben den Wagen in der Nacht verlassen, haben das Nötigste mitgenommen und sind verschwunden. Ich glaube, sie lebten ein paar Jahre auf einem Hof oben in Småland. Dann, als sich alles wieder beruhigt hatte, kamen sie zurück. Sie änderten ihre Namen und die Frisuren, und niemand fragte mehr nach den Diebstählen.«

»Den Diebstählen?«

»Wissen Sie überhaupt nichts?«

»Sie sind hier, um es mir zu erklären.«

»Sie waren bei einem Landwirt in der Gegend eingebrochen. Aber dann kriegten sie kalte Füße. Nahmen mit, was sie tragen konnten, machten sich aus dem Staub und hielten sich bedeckt. Ich glaube, Richard nannte sich später Arvid und Irina Helena. Ich habe sie nur ein paarmal gesehen. Aber ich mochte sie. Großvater starb Anfang der Siebzigerjahre, Großmutter ein paar Jahre nach ihm. Sie sind auf dem Friedhof von Hässleholm begraben. Aber nicht unter ihren richtigen Namen.«

Wallander saß stumm da. Er zweifelte keinen Augenblick daran, dass das, was er gerade gehört hatte, die Wahrheit war. Wort für Wort.

Das zurückgelassene Pferd und der Wagen waren eine Spur, die ins Leere führte. Seit sechzig Jahren.

Enttäuschung überfiel ihn. Aber gleichzeitig war er erleichtert, dass sie nicht allzu viel Kraft und Energie unnötig aufgewendet hatten.

»Warum fragen Sie nach alldem?«

»Eine alte Ermittlung muss zu Ende gebracht werden. Zwei Skelette, die in einem Garten gefunden wurden. Sie haben vielleicht in der Zeitung davon gelesen? Das Lebensmittelgeschäft in Limhamn überlasse ich mal den Kollegen in Malmö.«

»Das war ich nicht.«

»Ich höre, dass Sie das sagen.«

»Kann ich jetzt gehen?«

»Sie können.«

Er brachte sie bis zur Anmeldung.

»Ich mochte sie«, sagte sie beim Abschied. »Beide, Großvater und Großmutter. Sie waren komische Menschen. Scheu und offen gleichzeitig. Ich wünschte, ich hätte mehr Zeit mit ihnen verbringen können.«

Wallander sah sie auf ihren hohen Hacken davonstelzen. Er dachte, dass sie ein Mensch war, den er in seinem Leben wohl nie wiedertreffen würde. Aber sicher kein Mensch, den er so bald vergessen würde.

Kurz vor zwölf sprach er mit Stefan Lindman und Martinsson. Er teilte ihnen mit, dass die Spur erkaltet war. Sie konnten einen Strich darunter ziehen und weitergehen. Anschließend informierte er die Staatsanwältin.

Den Rest des Tages nahm Wallander frei. Er kaufte sich in einem Laden unten am Marktplatz ein neues Hemd, aß in einem Restaurant eine Pizza und ging dann nach Hause in die Mariagatan.

Als Linda am Abend in die Wohnung kam, war er schon eingeschlafen.

20.

Der nächste Tag war ein klarer Dezembertag mit funkelnder Sonne. Wallander stand früh auf und machte einen langen Spaziergang am Meer, bevor er gegen acht Uhr beschloss, wieder Kriminalbeamter zu werden, und ins Polizeipräsidium zurückkehrte. Er würde einen Schritt zurück machen müssen, um die Ermittlung da wieder aufzugreifen, wo sie sie hatten ruhen lassen, als Larssons Spur aufgetaucht war.

Bevor er sich an die Arbeit machte, hatte er jedoch noch ein Telefongespräch zu führen. Er suchte die Nummer heraus. Erst nach langem Klingeln wurde abgenommen.

»Larsson.«

»Hier ist Wallander. Danke für neulich.«

»Und ich danke, dass du gekommen bist.«

»Ich wollte nur berichten, dass wir deinen Tipp untersucht haben. Es gab eine natürliche Erklärung. Wenn du möchtest, erzähle ich es dir.«

»Natürlich interessiert es mich.«

Wallander erklärte, was sie herausgefunden hatten. Simon Larsson hörte schweigend zu.

»Dann weiß ich jetzt wenigstens, was damals passiert ist«, sagte er schließlich. »Aber es tut mir leid, dass ich euch unnötige Arbeit gemacht habe.«

»Nichts ist unnötig«, entgegnete Wallander. »Du weißt ja, was es heißt, Polizist zu sein. Oft ist es genauso wichtig, Lösungen ausschließen zu können, wie sie zu finden.«

»Vielleicht hast du recht. Aber ich bin jetzt so alt, dass ich nicht mehr viel davon in Erinnerung habe.«

»An deinem Gedächtnis gibt es nichts auszusetzen. Das hast du ja unter Beweis gestellt.«

Wallander merkte, dass Simon Larsson Lust hatte, weiterzureden. Obwohl sie nichts mehr zu sagen hatten, klammerte er sich ans Telefon. Wallander dachte an die Frau, die er auf dem Bett hatte liegen und schlafen sehen.

Schließlich gelang es ihm, das Gespräch zu beenden, und er fragte sich, was es für ihn selbst bedeuten würde, alt zu werden. Wie würde er es ertragen, alt und geschwätzig zu werden?

Um neun Uhr trafen sie sich im Sitzungszimmer.

»Wir müssen wieder da anfangen, wo wir vor den Peterssons aufgehört haben«, sagte Wallander. »Es gibt eine Lösung, auch wenn wir sie im Augenblick nicht erkennen können.«

»Ich denke wie du«, sagte Martinsson. »Schweden ist ein kleines Land. Aber mit einer extrem guten Kontrolle über die Einwohner. So war es vor sechzig Jahren auch, selbst wenn wir nicht mit all den Codes ausgestattet waren, die uns heute von der Wiege bis zur Bahre begleiten. Irgendjemand muss diese Menschen vermisst haben. Irgendjemand muss nach ihnen gefragt haben.«

Wallander hatte eine neue Idee.

»Du hast recht. Jemand hätte sie vermissen müssen. Zwei verschwundene Menschen in mittleren Jahren. Aber wenn wir uns einmal vorstellen, dass niemand sie vermisst hat? Keiner hat danach gefragt, was aus ihnen geworden ist? Das ist ja auch eine Geschichte. Niemand vermisst sie, weil niemand weiß, dass sie weg sind.«

»Vielleicht. Aber ebenso gut kann es sein, dass jemand sie vermisst hat. Nur nicht hier.«

»Jetzt kann ich dir nicht folgen.«

Stefan Lindman mischte sich ins Gespräch.

»Du denkst an den Zweiten Weltkrieg. Wir haben schon einmal darüber gesprochen. Schonen war ein Grenzland, umgeben von Ländern im Krieg. Deutsche und britische Bomber mussten Notlandungen auf unseren Feldern machen, Flüchtlinge kamen von verschiedenen Seiten.«

»Ungefähr so«, sagte Wallander. »Wir sollten uns nicht von voreiligen Schlüssen in die Irre führen lassen. Wir müssen freie Sicht behalten. Es gibt viele Erklärungen, nicht nur die, von denen unsere Erfahrung uns glauben lässt, sie seien am wahrscheinlichsten. Es kann auch eine Lösung geben, an die wir noch gar nicht gedacht haben. Das wollte ich nur sagen.«

»Es war nichts Ungewöhnliches, dass die Leute sich ein bisschen extra damit verdienten, an Flüchtlinge zu vermieten oder sich um sie zu kümmern.«

»Und wer hat das bezahlt?«

»Sie hatten ihre eigenen Organisationen. Leute mit Geld halfen denen, die nichts hatten. Das brachte den Bauern Nebeneinkünfte. Und kaum jemand dürfte sie versteuert haben.«

Martinsson zog einen Aktenordner, der auf dem Tisch lag, zu sich.

»Stina Hurlén hat uns noch einen Nachtrag geschickt«, sagte er. »Nichts, was das, was wir schon wissen, verändert. Sie stellt lediglich fest, dass die Frau schlechte Zähne hatte, während die des Mannes nahezu perfekt waren.«

»Glaubst du, es gibt so alte Zahnarztarchive?«

»Daran habe ich nicht gedacht. Stina Hurlén auch nicht. Es ist nur eine Feststellung. Einer der Toten hatte viele Zahnfüllungen, der andere hatte tadellose Zähne. Auch das sagt ja etwas aus, auch wenn wir nicht wissen, was es bedeutet.«

Wallander machte sich eine Notiz wegen der Zähne und legte den Zettel in seine Mappe.

»Was schreibt sie sonst noch?«

»Nichts, was im Moment von Bedeutung wäre. Der Mann hatte einmal einen Arm gebrochen. Den linken. Es könnte etwas bedeuten, wenn wir ihre Identität kennen.«

»Stimmt«, sagte Wallander. »Aber lasst uns das mit den Zahnarztarchiven einmal nachprüfen.«

Sie gingen das gesamte Ermittlungsmaterial noch einmal durch. Es gab eine Reihe von Ansätzen, die sie noch nicht weiterverfolgt hatten. Als sie sich vor der Mittagspause trennten, hatten sie den Plan für die nächsten Tage festgelegt.

Martinsson hielt Wallander zurück, nachdem Stefan Lindman gegangen war.

»Was machen wir mit dem Haus?«

»Im Moment ist es nicht besonders aktuell. Das verstehst du sicher.«

»Natürlich verstehe ich das. Aber ich dachte, dass du ein bisschen mehr Zeit haben solltest. Meine Frau ist der gleichen Meinung. Es kann ja sein, dass du die Sache anders siehst, wenn wir im besten Fall eine Lösung haben und wissen, was es mit den Skeletten auf sich hat.«

Wallander schüttelte den Kopf.

»Ich glaube, ihr solltet euch nach einem anderen Käufer umsehen. Ich kann nicht an einem Ort leben, an dem höchstwahrscheinlich ein Verbrechen verübt wurde. Daran würde es auch nichts ändern, wenn wir das Ganze aufklären.«

»Bist du sicher?«

»Ganz sicher.«

Martinsson schien enttäuscht zu sein. Aber er sagte nichts, sondern ging aus dem Zimmer. Wallander öffnete eine Flasche Mineralwasser, setzte sich und legte die Füße auf den Tisch.

Er hätte fast ein Haus gekauft. Aber plötzlich waren zwei Tote an dessen Stelle getreten, die lange in der Erde gelegen hatten und jetzt an die Oberfläche gekommen waren.

Er wünschte sich, sein Traum von einem Haus wäre nicht wie ein Troll geheimnisvoll und schnell zerplatzt, wenn die Sonne darauf schien.

Er konnte sich nicht erinnern, wann er sich zuletzt so lustlos gefühlt hatte. Woran lag es? An der Enttäuschung, die er sich nicht eingestehen mochte? Oder war es etwas anderes?

21.

Wallander hatte schon vor vielen Jahren gelernt, dass Geduld mit sich selbst eine der vielen Tugenden war, über die ein Polizist verfügen sollte. Es gab immer Tage, an denen nichts geschah, an denen eine Ermittlung festgefahren war und sich weder vorwärts noch rückwärts bewegte. Dann brauchte man Geduld, um den Moment abzuwarten, in dem das Problem zu lösen war. Polizisten konnten ungeduldig sein. Sie konnten schnell und mit großer Energie arbeiten. Aber sie durften die Geduld nicht verlieren, wenn es nicht voranging mit einem Fall.

Zwei Tage lang passierte nichts, zumindest nichts Nennenswertes. Wallander und seine Kollegen gruben sich immer tiefer hinein in diverse Archive, sie gruben unterirdische Gänge im Dunkeln wie die Maulwürfe. Dann und wann trafen sie sich beim Kaffee, tauschten sich aus, stimmten sich miteinander ab und kehrten dann wieder zurück zu ihrer Wühlarbeit.

Vor den Fenstern des Polizeipräsidiums konnte das Wetter sich nicht entscheiden, ob es Winter werden wollte oder nicht. An einem Tag war es kalt, und Schneeflocken schwebten zu Boden, am nächsten Tag waren wieder Plusgrade, und trostlose Regenschwaden trieben von der Ostsee herein.

Es war einige Minuten nach neun Uhr am Morgen des 6. Dezember, als das Telefon auf Wallanders überquellendem Schreibtisch klingelte. Er fuhr zusammen, riss den Hörer ans Ohr und nannte seinen Namen. Zuerst erkannte er die Stimme nicht. Es war eine Frau, die ein stark ausgeprägtes Schonisch sprach.

Dann fiel ihm ein, dass er die Frau erst kürzlich getroffen hatte. Es war Katja Blomberg.

»Ich habe nachgedacht«, sagte sie. »Es ging mir nicht aus dem Kopf, seit ich mit Ihnen geredet habe. Und dann habe ich von diesen verschwundenen Menschen gelesen. Und da ist mir etwas eingefallen. Die Kiste auf dem Dachboden.«

»Ich bin nicht ganz sicher, ob ich verstehe, was Sie meinen.«

»Alles, was ich von meinen Großeltern geerbt habe, ist in einer alten Kiste verwahrt. Seit ihrem Tod steht sie auf dem Dachboden. Ich hatte das Gefühl, dass der Name Ludvig Hansson mir bekannt vorkam. Er war es, bei dem sie eingebrochen hatten. Also habe ich mir die alte Kiste noch mal vorgenommen. Das hatte ich viele Jahre nicht getan. Da gab es eine Reihe von Tagebüchern. Kalender, sollte ich wohl eher sagen. Die hatten Ludvig Hansson gehört. Ich dachte, Sie sollten sich die vielleicht einmal ansehen.«

»Kalender?«

»Er hat aufgeschrieben, wann er ausgesät und wann er geerntet hat. Er schrieb auf, was die Sachen kosteten. Aber er hat auch ein paar andere Dinge notiert.«

»Was zum Beispiel?«

»Über die Familie und Freunde und Leute, die zu Besuch kamen.«

Wallander war plötzlich interessiert.

»In diese Kalender hat er also in den Kriegsjahren geschrieben?«

»Ja.«

»Ich will sie mir gern einmal ansehen. Am liebsten sofort.«

»Ich kann sie Ihnen gleich vorbeibringen.«

Eine Stunde später saß Katja Blomberg wieder an seinem Schreibtisch und rauchte. Sie hatte eine alte Holzkiste vor sich auf den Tisch gestellt.

Die Kiste enthielt Kalender in schwarzem Ledereinband.

Auf den Umschlägen stand in Goldprägung die Jahreszahl. Auf der ersten Seite hatte Ludvig Hansson immer seinen Namen geschrieben. In der Kiste waren vier Kalender. 1941, 1942, 1943, 1944. Außerdem lagen noch alte Rechnungen darin. Wallander setzte die Brille auf und blätterte in den Kalendern. Er begann mit dem Jahr 1941. Tatsächlich gab es Eintragungen über Aussaat und Ernte, über eine defekte Mähmaschine und über ein Pferd, das am 12. September »auf mysteriöse Weise« starb. Es fanden sich Angaben über Kühe und Milchmengen, über Schweineschlachtungen und Eierverkauf. Dann und wann hatte Ludvig Hansson auch extreme Temperaturen notiert. Eine Woche im Dezember 1943 war es »höllisch kalt«, während es im Juli 1942 viel zu trocken war, als dass Ludvig Hansson auf »gute Ernteerträge hoffen« kann.

Wallander las. Er las, dass diverse Geburtstage gefeiert wurden und es zuweilen Begräbnisse gab, die entweder »schmerzlich« oder »zu lang« waren. Die ganze Zeit saß Katja Blomberg dabei und steckte sich eine Zigarette nach der anderen an.

Wallander war beim letzten Kalender angekommen, dem von 1944, ohne dass er das Gefühl hatte, Ludvig Hansson nähergekommen zu sein oder Details gefunden zu haben, die Licht auf die Skelettfunde werfen könnten.

Plötzlich hielt er inne. Es war der 12. Mai 1944. Ludvig Hansson schreibt: »Die Esten sind gekommen. Drei Stück, Vater, Mutter und Sohn. Kaarin, Elmo und Ivar Pihlak. Vorschuss gezahlt.« Wallander legte die Stirn in Falten. Wer waren diese Esten? Wofür war Vorschuss gezahlt worden? Er blätterte langsam weiter. Am 14. August findet sich ein neuer Eintrag: »Die Zahlungen wieder pünktlich. Die Esten freundlich, bereiten keine Probleme. Gutes Geschäft.« Was war das für ein gutes Geschäft? Er blätterte weiter. Erst am 21. November kommt ein neuer Eintrag, zugleich der letzte: »Sie sind abgereist. Schlecht sauber gemacht.«

Wallander ging die losen Papiere durch, die in der Kiste lagen, fand jedoch nichts, was ihn aufmerken ließ.

»Ich muss diese Kalender hierbehalten«, sagte er. »Die Kiste bekommen Sie natürlich zurück.«

»Steht was Interessantes drin?«

»Vielleicht. 1944 scheint eine estnische Familie dort gewohnt zu haben. Zwischen dem 12. Mai und Ende November.«

Wallander dankte ihr und ließ die Kalender auf dem Tisch liegen. Konnte dies die Lösung sein? Eine estnische Familie, die 1944 auf dem Hof wohnt? Aber sie reisen ab, sie sterben nicht. Ludvig Hansson dürfte sie kaum umgebracht haben.

Martinsson wollte gerade zum Mittagessen gehen, als Wallander in sein Zimmer kam. Er bat Martinsson, das Essen ein wenig warten zu lassen. Stefan Lindman war in eins der zahlreichen Archive oder Register abgetaucht, für die er zuständig war. Sie setzten sich. Wallander erklärte, während Martinsson in den Kalendern blätterte.

Als Wallander endete, wirkte Martinsson nicht überzeugt.

»Das klingt nicht besonders glaubwürdig.«

»Es ist der erste neue konkrete Anhaltspunkt, den wir haben.«

»Drei Personen. Eine ganze Familie. Wir haben zwei Skelette gefunden. Nyberg ist sicher, dass es keine weiteren gibt.«

»Eins kann ja woanders vergraben sein.«

»Wenn man annimmt, dass sie sich illegal oder heimlich hier aufhielten, dürfte es nicht leichtfallen, sie aufzuspüren.«

»Wir haben immerhin Namen. Drei Namen. Kaarin, Elmo und Ivar Pihlak. Auf jeden Fall müssen wir sehen, ob sie uns was bringen.«

Martinsson stand auf, um zu seinem verspäteten Mittagessen zu kommen.

»Ich an deiner Stelle würde mit dem Einwohnermeldeamt anfangen«, sagte er. »Auch wenn es wenig wahrscheinlich ist, dass sie da zu finden sind.«

»Es gibt keine bessere Stelle, um anzufangen«, sagte Wallander. »Dann sehen wir weiter.«

Wallander verließ das Polizeipräsidium. Er sollte etwas essen, dachte er. Aber er sollte so vieles.

Einen kurzen Moment kehrte seine Lustlosigkeit zurück, als er mit dem Zündschlüssel in der Hand hinter dem Lenkrad saß. Dann riss er sich zusammen, ließ den Wagen an und machte sich auf die Suche nach der estnischen Familie.

22.

Die Frau hinter dem Schreibtisch beim Einwohnermeldeamt hörte ihm freundlich zu. Aber als Wallander seine Geschichte beendet hatte, machte sie ihm wenig Hoffnung.

»Das wird schwer«, sagte sie. »Wir haben schon früher Besucher hier gehabt, die nach Spuren von Menschen aus den baltischen Ländern gesucht haben, die während des Krieges in Schonen gelebt haben. Sie sind der erste Polizeibeamte. Aber es hat viele andere Anfragen gegeben. Vor allem von Angehörigen. Aber selten können wir die Gesuchten lokalisieren.«

»Wie ist das zu erklären?«

»Viele haben vielleicht falsche Namen angegeben. Sie hatten ja keinerlei Ausweispapiere, als sie hier ankamen. Aber der wichtigste Grund ist natürlich, dass in den baltischen Ländern während des Krieges und danach so viel passiert ist.«

»Haben Sie eine Vorstellung davon, wie viele von diesen Flüchtlingen sich nie registrieren ließen?«

»Vor ein paar Jahren hat jemand in Lund eine Examensarbeit darüber geschrieben. Den darin enthaltenen Angaben zufolge haben sich zirka fünfundsiebzig Prozent registrieren lassen.«

Sie stand auf und verließ den Raum. Wallander setzte sich und schaute aus dem Fenster. Er hatte schon angefangen, darüber nachzugrübeln, wie sie jetzt weiterkämen. Er rechnete nicht damit, dass er auf dem eingeschlagenen Weg einer Lösung näher käme. Einen kurzen Augenblick verspürte er den Impuls, einfach wegzugehen. Den Wagen zu nehmen und

Schonen zu verlassen, um nie zurückzukommen. Aber es war zu spät für große Aufbrüche, das wusste er. Er würde im besten Fall eines Tages vielleicht sein Haus finden und einen Hund kaufen. Vielleicht auch eine Frau treffen, die zu der Gefährtin werden könnte, die ihm fehlte. Linda hatte recht. Er war wirklich drauf und dran, ein griesgrämiger alter Sack zu werden.

Irritiert vertrieb er diese Gedanken. Dann lehnte er sich zurück und schloss die Augen.

Er schreckte hoch, weil jemand seinen Namen sagte. Als er die Augen aufschlug, stand die Frau mit einem Papier in der Hand vor ihm.

»Manchmal zeigt es sich, dass ich zu pessimistisch bin«, sagte sie. »Ich habe vielleicht gefunden, was Sie suchen.«

Wallander sprang auf.

»Ist das möglich?«

»Es sieht ganz so aus.«

Die Frau setzte sich an ihren Schreibtisch, Wallander nahm ihr gegenüber Platz. Sie las von einem Blatt Papier in ihrer Hand ab. Wallander bemerkte, dass sie kurzsichtig war. Aber sie trug keine Brille.

»Kaarin, Elmo und Ivar Pihlak kamen im Februar 1944 aus Dänemark nach Schweden«, sagte sie. »Die erste Zeit wohnten sie in Malmö. Danach bei Ludvig Hansson, wo sie auch gemeldet waren. Im November des gleichen Jahres beantragten sie die Ausreise nach Dänemark. Sie haben das Land auch verlassen. Das ist hier vermerkt.«

»Und da können Sie ganz sicher sein?«

»Es wurden, was Flüchtlinge betraf, während des Krieges eine Reihe spezieller Aufzeichnungen gemacht. Ihr Sohn hat die Ausreise gemeldet.«

Wallander war verwirrt.

»Jetzt kann ich nicht mehr richtig folgen. Welcher Sohn?«

»Ivar. Er hat gemeldet, dass seine Eltern im November 1944 das Land verlassen haben.«

»Und was hat er selbst gemacht?«

»Er blieb hier und erhielt eine Aufenthaltsgenehmigung. Später wurde er sogar schwedischer Staatsbürger. 1954, um genau zu sein.«

Wallander hielt die Luft an. Er versuchte ganz klar zu denken. Drei Esten kommen 1944 aus Dänemark nach Schweden. Vater, Mutter und ein Sohn. Im November des gleichen Jahres ziehen die Eltern wieder nach Dänemark, während der Sohn zurückbleibt. Er ist es auch, der die Ausreise seiner Eltern aus Schweden gemeldet hat.

»Ich nehme an, es lässt sich nicht sagen, ob dieser Sohn noch lebt und wo er eventuell wohnt?«

»Das lässt sich sehr wohl sagen. Er ist seit vielen Jahren hier in Ystad gemeldet. Die Adresse ist Ekudden. Das ist ein Seniorenheim in der Nähe des alten Gefängnisses.«

Wallander wusste, wo es lag.

»Sie meinen also, dass er noch lebt?«

»Ja. Er ist sechsundachtzig Jahre alt.«

Wallander blickte einen Moment nachdenklich vor sich hin. Dann nickte er und verließ den Raum.

23.

Am Stadtrand von Ystad hielt Wallander an einer Tankstelle und aß eine Wurst. Er war sich noch nicht darüber im Klaren, was die Auskunft, die er beim Einwohnermeldeamt bekommen hatte, eigentlich für ihn bedeutete. Wenn sie überhaupt etwas bedeutete.

Bevor er weiterfuhr, trank er noch einen Kaffee aus einem Plastikbecher.

Ekudden lag an der Straße nach Trelleborg, ein großes altes Haus in einem Garten, mit Ausblick aufs Meer und auf die Einfahrt zum Hafen von Ystad. Wallander parkte den Wagen und ging durchs Tor. Auf einem Schotterweg spielten einige ältere Männer Boule. Wallander ging ins Haus, nickte freundlich zwei alten Frauen zu, die in der Eingangshalle saßen und strickten, und klopfte an eine Tür mit der Aufschrift ›Anmeldung‹. Eine Frau um die dreißig öffnete.

»Mein Name ist Kurt Wallander, ich bin Kriminalbeamter hier in Ystad.«

»Ich kenne Ihre Tochter Linda«, sagte die Frau herzlich. »Wir sind vor langer Zeit zusammen in die Schule gegangen. Ich war einmal bei Ihnen zu Hause, als Sie durch die Tür hereinkamen. Ich weiß noch, dass ich furchtbare Angst hatte.«

»Vor mir?«

»Vor Ihnen, ja. Sie waren so schrecklich groß.«

»Ich glaube nicht, dass ich so besonders groß war. Wissen Sie, dass Linda wieder in Ystad ist?«

»Ich habe sie auf der Straße getroffen. Ich weiß, dass sie Polizistin geworden ist.«

»Und? Wirkt sie gefährlich?«

Die junge Frau lachte. Auf einem Schild an ihrer Bluse stand ihr Name: Pia.

»Ich habe eine Frage«, sagte Wallander. »Ich habe gehört, dass ein Mann namens Ivar Pihlak hier wohnt.«

»Ja, Ivar wohnt hier. Sein Zimmer liegt im ersten Stock, ganz am Ende des Gangs.«

»Ist er zu Hause?«

Pia sah ihn verwundert an.

»Es ist ausgesprochen selten, dass die Alten, die hier leben, nicht da sind.«

»Wissen Sie, ob er Angehörige hat?«

»Er hat noch nie Besuch gehabt. Ich glaube, er hat keine Familie. Seine Eltern lebten in Estland. Ich glaube, er hat einmal gesagt, dass er keine Angehörigen mehr hat.«

»Wie geht es ihm?«

»Er ist sechsundachtzig Jahre alt. Klar im Kopf. Aber körperlich ist er ein bisschen beeinträchtigt. Warum wollen Sie ihn sprechen?«

»Es ist nur eine Routineangelegenheit.«

Wallander spürte, dass die junge Frau ihm nicht glaubte. Zumindest nicht ganz. Aber sie fragte nicht weiter. Sie führte ihn zur Treppe und begleitete ihn in den ersten Stock.

Die Tür von Ivar Pihlaks Zimmer war nicht geschlossen. Pia klopfte.

An einem Tisch vor dem Fenster saß ein älterer Mann mit weißem Haar und legte eine Patience. Er blickte auf und lächelte.

»Sie haben Besuch«, sagte Pia.

»Das ist ja schön«, sagte der Mann.

Wallander konnte keine Spur eines Akzents in seiner Aussprache hören.

»Ich lasse Sie allein«, sagte Pia und ging zurück zur Treppe.

Der Mann war aufgestanden. Sie gaben sich die Hand. Er lächelte, seine Augen waren blau, sein Händedruck war fest.

Wallander dachte, dass alles falsch war. Der Mann, der vor ihm stand, würde ihm nicht helfen können, das Rätsel der beiden Skelette zu lösen.

»Ich habe Ihren Namen nicht verstanden«, sagte Ivar Pihlak.

»Ich heiße Kurt Wallander und bin Kriminalbeamter. Vor vielen Jahren, während des Krieges, wohnten Sie und Ihre Eltern auf einem Hof in Löderup, der einem Mann namens Ludvig Hansson gehörte. Sie wohnten ein gutes halbes Jahr dort, und dann reisten Ihre Eltern zurück nach Dänemark, während Sie hier in Schweden blieben. Ist das richtig?«

»Sonderbar, dass jemand hierherkommt und danach fragt. Jetzt, nach so vielen Jahren.«

Ivar Pihlak sah ihn mit seinen blauen Augen an. Es war, als hätten Wallanders Worte ihn erstaunt, aber auch eine Wehmut in ihm wachgerufen.

»Es stimmt also?«

»Meine Eltern reisten Anfang Dezember 1944 nach Dänemark zurück. Der Krieg ging dem Ende zu. Sie hatten viele Freunde, viele andere Esten, die in Dänemark lebten. Es gefiel ihnen nicht so gut in Schweden.«

»Können Sie mir sagen, was dann geschah?«

»Darf ich nur erst fragen, warum Sie das interessiert?«

Wallander überlegte kurz und beschloss, nichts von den Skeletten zu erwähnen.

»Eine Routineangelegenheit. Sonst nichts. Was geschah dann?«

»Meine Eltern kehrten im Juni 1945 nach Estland zurück. In ihr Haus in Tallinn. Es war teilweise zerstört. Aber sie fingen an, es wieder aufzubauen.«

»Sie selbst blieben in Schweden?«

»Ich wollte nicht zurück. Ich blieb hier. Und ich habe es nie bereut. Ich konnte eine Ausbildung zum Ingenieur machen.

»Haben Sie keine Familie?«

»Dazu kam es nicht. Jetzt, wo ich alt bin, tut es mir manchmal leid.«

»Haben Ihre Eltern Sie hier noch einmal besucht?«

»Meistens war ich es, der nach Estland fuhr. Es war ja eine schwere Zeit dort nach dem Krieg, wie Sie wissen.«

»Ihre Eltern können heute nicht mehr leben. Wann sind sie gestorben?«

»Meine Mutter starb schon 1965, mein Vater Anfang der Achtzigerjahre.«

»Was wurde aus ihrem Haus?«

»Es gab eine Tante, die alles übernahm. Ich war zu den Beerdigungen dort. Einen Teil ihrer persönlichen Gegenstände nahm ich mit nach Schweden. Aber als ich hierher zog, habe ich mich davon getrennt. Hier ist ja nicht viel Platz, wie Sie sehen.«

Wallander hatte plötzlich nichts mehr zu fragen. Die ganze Situation war unsinnig. Der Mann mit den blauen Augen sah ihn unverwandt an und sprach mit seiner ruhigen und sanften Stimme.

»Dann will ich nicht weiter stören«, sagte Wallander. »Vielen Dank und auf Wiedersehen.«

Wallander ging durch den Garten. Die Männer spielten immer noch Boule. Er blieb stehen und sah ihnen zu. Etwas fing an ihn zu beunruhigen. Zunächst konnte er nicht sagen, was es war, aber es hatte mit dem Gespräch zu tun, das er vor ein paar Minuten mit dem alten Mann geführt hatte.

Dann kam er darauf, was es war. Die Antworten des Mannes hatten einstudiert gewirkt. Was er auch gefragt hatte, es war eine Antwort gekommen, ein bisschen zu schnell, ein bisschen zu exakt.

Ich bilde mir etwas ein, dachte Wallander. Ich sehe Gespenster.

Er kehrte ins Präsidium zurück. In der Kantine saß Linda und trank Kaffee. Er setzte sich zu ihr. Auf einem Teller lagen ein paar Spekulatius, die er aufaß.

»Wie geht es?«, fragte sie.
»Gar nicht«, sagte er. »Wir treten auf der Stelle.«
»Kommst du heute Abend zum Essen nach Hause?«
»Ich glaube schon.«
Sie stand auf, um wieder an ihre Arbeit zu gehen. Wallander trank den Becher aus und kehrte in sein Zimmer zurück.
Der Nachmittag kroch dahin.

Als er nach Hause gehen wollte, klingelte sein Telefon.

24.

Er erkannte die Stimme sofort, bevor sie auch nur ihren Namen genannt hatte. Es war Pia, die junge Frau aus der Anmeldung in Ekudden.

»Ich wusste nicht, wo ich anrufen sollte«, sagte sie.

»Was ist passiert?«

»Ivar ist weg.«

»Was meinen Sie damit?«

»Er ist weg. Abgehauen.«

Wallander setzte sich wieder an den Schreibtisch. Er spürte, wie sein Herz schneller zu schlagen begann.

»Langsam«, sagte er. »Erzählen Sie bitte der Reihe nach. Was ist geschehen?«

»Er kam vor einer Stunde nicht zum Essen herunter. Da ging ich zu seinem Zimmer. Es war leer. Seine Jacke war weg. Wir haben im Haus und im Garten und unten am Strand nach ihm gesucht. Er war nirgends. Dann kam Miriam und sagte, ihr Auto wäre weg.«

»Wer ist Miriam?«

»Meine Kollegin. Sie glaubt, dass Ivar es vielleicht genommen hat.«

»Warum hätte er das tun sollen?«

»Sie schließt ihr Auto nie ab. Und Ivar hat oft davon gesprochen, wie gern er früher Auto gefahren ist.«

»Was ist es für ein Auto?«

»Ein dunkelblauer Fiat.«

Wallander notierte es. Dann überlegte er.

»Sind Sie sicher, dass Ivar nicht doch noch im Haus oder im Garten ist?«

»Wir haben überall gesucht.«

»Warum glauben Sie, dass er verschwunden ist?«

»Ich dachte, Sie könnten es mir erklären.«

»Ich weiß vielleicht, wo er sich aufhält. Ich bin nicht sicher. Aber möglicherweise habe ich recht. Wenn ich ihn finde, melde ich mich binnen einer Stunde. Wenn ich ihn nicht finde, wird es zu einem Fall für die Polizei. Dann müssen wir uns überlegen, ob wir eine organisierte Suchaktion starten.«

Wallander beendete das Gespräch. Er saß reglos vor seinem Schreibtisch. Hatte er recht? Hatte die Unruhe, die er zuvor verspürt hatte, ihre Erklärung gefunden?

Er stand auf. Es war 17.35 Uhr. Draußen war es dunkel. Der Wind kam und ging in Böen.

25.

Schon von Weitem konnte Wallander sehen, dass in einem Fenster ein schwaches Licht brannte. Jetzt zweifelte er nicht mehr. Er hatte richtig vermutet. Ivar Pihlak war zu dem Haus zurückgekehrt, in dem er früher mit seinen Eltern gewohnt hatte.

Wallander fuhr an den Straßenrand und schaltete den Motor ab. Außer dem schwachen Lichtschein, der aus dem Fenster fiel, war es dunkel um ihn her. Er nahm die Taschenlampe, die er unter dem Fahrersitz aufbewahrte, und ging auf das Haus zu. Der Wind peitschte ihm ins Gesicht. Als er das Haus erreichte, sah er, dass im Wohnzimmer zwei Lampen brannten. Ein Küchenfenster war zerschlagen, und jemand hatte den Schließhaken geöffnet. Ivar Pihlak hatte einen Gartenstuhl an die Wand gestellt, sodass er ins Haus klettern konnte. Wallander sah durchs Fenster, aber die Küche war leer. Er beschloss, ebenfalls durch das Fenster ins Haus zu klettern. Er meinte, sich keine Sorgen machen zu müssen. Dort drinnen im Haus war ein alter Mann; ein alter Mann, den sein Schicksal eingeholt hatte.

Wallander kletterte hinein. Er stand auf dem Küchenboden, ohne sich zu rühren, und horchte. Im gleichen Moment bereute er, allein hergefahren zu sein. Er kramte in der Jackentasche nach seinem Handy, aber ihm fiel ein, dass er es auf den Beifahrersitz gelegt hatte, als er die Taschenlampe hervorgezogen hatte. Er versuchte, einen Beschluss zu fassen. Sollte er im Haus bleiben oder wieder hinausklettern und Martinsson anrufen? Er entschied sich für Letzteres, zwängte sich durchs Fenster hinaus und ging in Richtung seines Wagens.

Ob es eine instinktive Reaktion war oder ob er ein Geräusch hinter sich gehört hatte, konnte er im Nachhinein nicht mehr sagen. Aber etwas traf ihn im Nacken, bevor er sich umdrehen konnte, und alles wurde dunkel, ehe er noch auf den Boden aufschlug.

Als er wieder zu sich kam, saß er auf einem Stuhl. Seine Schuhe und die Hose waren lehmverschmiert. Sein Kopf dröhnte von einem dumpfen, pochenden Schmerz.

Vor ihm stand Ivar Pihlak. In einer Hand hielt er eine Waffe. Eine alte Pistole, konnte Wallander sehen. Eine alte deutsche Armeepistole. Ivar Pihlaks Augen waren noch immer blau. Aber sein Lächeln war verschwunden. Er sah nur müde aus. Müde und alt.

Wallander überlegte. Ivar Pihlak war draußen in der Dunkelheit gewesen und hatte ihn niedergeschlagen. Er warf einen Blick auf seine Uhr. Halb sieben. Also war er nur kurze Zeit bewusstlos gewesen.

Er versuchte, die Lage einzuschätzen. Die auf ihn gerichtete Waffe war gefährlich, auch wenn sie sich in der Hand eines sechsundachtzigjährigen Mannes befand. Er durfte Ivar Pihlak nicht unterschätzen. Der Mann hatte ihn niedergeschlagen und zuvor ein Auto gestohlen und war damit nach Löderup gefahren.

Wallander spürte Angst. Sprich ruhig, sagte er sich. Sprich vollkommen ruhig, hör zu, keine Anklagen, nur reden und ruhig zuhören.

»Warum sind Sie gekommen?«, fragte Ivar Pihlak.

Seine Stimme klang wieder so traurig, wie sie Wallander zuvor in Ekudden erschienen war. Aber auch angespannt.

»Warum ich in dieses Haus gekommen bin oder warum ich zu Ihnen nach Ekudden gekommen bin?«

»Warum sind Sie gekommen? Ich bin ein alter Mann und sterbe bald. Ich will meine Ruhe haben. Ich habe mein ganzes Leben lang Angst gehabt.«

»Ich wollte nur verstehen, was passiert ist«, sagte Wallander langsam. »Vor ein paar Wochen bin ich hier heraus gekommen, um mir das Haus anzusehen. Um es vielleicht zu kaufen. Dabei bin ich aus Zufall im Garten auf ein Teil eines Skeletts gestoßen, eine Hand.«

»Das ist nicht wahr«, erwiderte Ivar Pihlak.

Er hörte sich plötzlich gehetzt und erregt an, seine Stimme schlug über ins Falsett. Wallander hielt den Atem an.

»Mein ganzes Leben lang wart ihr hinter mir her«, krächzte Ivar. »Sechzig Jahre lang habt ihr mich gejagt. Warum lasst ihr mich nicht in Ruhe? Das Einzige, was mir noch bleibt, ist doch der Epilog, dass ich sterbe.«

»Es war reiner Zufall. Wir wollten nur wissen, wer da gestorben war.«

»Das ist nicht wahr. Ihr wollt mich ins Gefängnis bringen. Ihr wollt, dass ich in einer Gefängniszelle sterbe.«

»Nach fünfundzwanzig Jahren sind alle Verbrechen verjährt. Was Sie auch sagen, es wird Ihnen nichts geschehen.«

Ivar Pihlak zog einen Stuhl heran und setzte sich. Die Pistole hielt er weiter auf Wallander gerichtet.

»Ich verspreche Ihnen, nichts zu unternehmen«, sagte Wallander. »Sie können mich fesseln. Aber legen Sie die Pistole weg.«

Ivar Pihlak antwortete nicht. Er hielt die Waffe fest auf Wallanders Kopf gerichtet.

»Natürlich hatte ich Angst, all die Jahre, dass ihr mich finden würdet«, sagte er nach einer Weile.

»Sind Sie jemals hierher zurückgekommen? In all den Jahren?«

»Nie.«

»Nie?«

»Nicht ein einziges Mal. Ich habe an der Technischen Hochschule Chalmers in Göteborg die Ingenieursausbildung gemacht. Danach arbeitete ich bis Mitte der Sechzigerjahre in einer Maschinenfabrik in Örnsköldsvik. Dann ging ich zurück nach Göteborg und arbeitete ein paar Jahre auf der Eriksbergswerft. Später kam ich nach Malmö. Aber ich war nie hier. Nie mehr. Bis ich nach Ekudden gezogen bin.«

Wallander dachte, dass der Mann jetzt angefangen hatte zu reden. Es war der Anfang einer Erzählung. Er versuchte, sich unmerklich auf dem Stuhl zu bewegen, sodass die Waffe nicht mehr direkt auf sein Gesicht gerichtet war.

»Warum konntet ihr mich nicht in Ruhe lassen?«

»Wir mussten herausfinden, wer die Toten waren. Das ist Aufgabe der Polizei.«

Ivar Pihlak fing plötzlich an zu lachen.

»Ich glaubte, es würde niemals entdeckt werden. Auf jeden Fall nicht, solange ich lebte. Aber dann passierte es. Heute standen Sie da in der Tür und fingen an, Fragen zu stellen. Erzählen Sie mir, was Sie wissen.«

»Wir haben zwei Skelette gefunden, einen Mann und eine Frau. Beide um die fünfzig. Sie hatten mindestens fünfzig Jahre dort gelegen. Sie waren beide getötet worden. Das ist alles.«

»Das ist nicht viel.«

»Ich weiß noch eins. Die Frau hatte zahlreiche Füllungen in ihren Zähnen. Während die Zähne des Mannes sehr gut waren.«

Ivar Pihlak nickte langsam.

»Er war geizig. Nicht bei sich selbst. Aber bei allen anderen.«

»Sie reden von Ihrem Vater?«

»Von wem denn sonst?«

»Ich stelle Fragen, auf die ich Antworten brauche. Nichts sonst.«

»Er war furchtbar geizig. Und gemein. Er ließ sie nicht zum Zahnarzt gehen, bevor die Zähne in ihrem Mund nicht halb verfault waren. Er behandelte meine Mutter wie ein Stück Vieh. Er pflegte sie zu erniedrigen, indem er sie mitten in der

Nacht weckte und zwang, sich nackt hinzustellen und immer wieder zu sagen, dass sie nichts wert sei, bis zum Morgengrauen. Sie hatte solche Angst vor ihm, dass sie zitterte, wenn er in der Nähe war.«

Ivar Pihlak verstummte plötzlich. Wallander wartete. Die Waffe zeigte immer noch direkt auf ihn. Er ahnte, dass ein Kräftemessen langwierig werden könnte. Er würde den Augenblick abwarten, in dem der Mann die Konzentration verlor. Dann hätte er eine Chance, sich auf ihn zu werfen und ihm die Waffe zu entwinden.

»Ich habe mich in jenen Jahren«, fuhr Ivar Pihlak fort, »oft über meine Mutter gewundert. Warum hat sie ihn nicht einfach verlassen? Deswegen verachtete und bemitleidete ich sie gleichzeitig. Wie kann man ein und demselben Menschen so widersprüchliche Gefühle entgegenbringen? Ich kann das immer noch nicht verstehen. Wäre sie damals gegangen, wäre es nie geschehen.«

Wallander spürte einen großen Schmerz hinter allem, was Ivar Pihlak sagte. Aber er wusste immer noch nicht, welchen Ursprung das Gefühl hatte.

»Eines Tages reichte es ihr«, fuhr Pihlak fort. »Sie erhängte sich in der Küche. Und da reichte es mir …«

»Sie haben ihn getötet?«

»Es war in der Nacht. Ich bin wohl aufgewacht, als sie den Stuhl umstieß. Aber mein Vater schlief weiter. Ich schlug ihm mit einem Hammer den Kopf ein. Die Gräber hob ich in derselben Nacht aus. Vor Tagesanbruch waren sie begraben, und die Erde war wieder am Platz.«

»Aber ein paar Johannisbeersträucher landeten an der falschen Stelle.«

Ivar Pihlak sah Wallander fragend an.

»Also deshalb haben Sie es entdeckt?«

»Was geschah dann?«

»Alles ergab sich von selbst. Ich erklärte den Behörden, sie hätten das Land verlassen. Niemand kontrollierte etwas, es war noch Krieg, alles war Chaos, Menschen auf der Flucht, hierhin und dorthin, ohne Identität, ohne Wurzeln, ohne Ziel. Also zog ich um, zuerst nach Sjöbo, dann, nach dem Krieg, nach Göteborg. In meinen Studienjahren wohnte ich in verschiedenen möblierten Zimmern. Ich brachte mich damit durch, dass ich im Hafen arbeitete. Ich hatte starke Arme damals.«

Die Waffe zeigte weiter auf Wallander. Aber er hatte das Gefühl, dass Ivar Pihlaks Aufmerksamkeit nachließ. Vorsichtig versetzte Wallander die Füße, sodass er einen guten Stand hatte, wenn der Augenblick kam, in dem er sich auf ihn stürzen würde.

»Mein Vater war ein Ungeheuer«, sagte Ivar Pihlak. »Ich habe nie bereut. Aber meiner Strafe bin ich nicht entgangen. Tag und Nacht sehe ich seinen Schatten um mich herum. Mir ist, als würde ich das Gesicht meines Vaters sehen und ihn sagen hören: ›Du entkommst mir nie!‹«

Plötzlich brach Ivar Pihlak in Tränen aus. Wallander zögerte, erkannte aber, dass jetzt der Augenblick gekommen war. Er sprang auf und warf sich auf Ivar Pihlak. Aber er hatte die Schnelligkeit des alten Mannes falsch eingeschätzt. Pihlak drehte sich weg und schlug Wallander mit dem Pistolenkolben an den Kopf. Der Schlag war nicht hart, aber hart genug, dass Wallander das Bewusstsein verlor. Als er wieder zu sich kam, stand Pihlak vorgebeugt über ihm.

Wallander sah sofort, dass Pihlak außer sich war. Die Waffe war auf Wallanders Kopf gerichtet.

»Du hättest mich in Ruhe lassen sollen«, schrie Pihlak. »Du hättest mich mit meinem Geheimnis und meiner Scham sterben lassen sollen. Mehr wollte ich nicht. Jetzt kommst du und hast alles kaputt gemacht.«

Wallander erkannte mit Entsetzen, dass der Mann eine letzte Grenze überschritten hatte. Gleich würde er schießen. Der Versuch, ihn doch noch zu Fall zu bringen, war zum Scheitern verurteilt.

»Ich lasse Sie in Ruhe«, sagte Wallander. »Ich verstehe, was Sie getan haben. Ich werde nie jemandem etwas sagen.«

»Es ist zu spät. Warum sollte ich Ihnen glauben? Sie haben sich auf mich gestürzt. Sie dachten, den alten Sack da schaffe ich mit links.«

»Ich will nicht sterben.«

»Das will niemand. Aber am Ende sterben alle.«

Ivar Pihlak trat einen Schritt näher. Er hielt die Waffe jetzt mit beiden Händen. Wallander wollte die Augen schließen, wagte es aber nicht. In seinem Kopf flimmerte Lindas Gesicht vorüber.

Ivar Pihlak schoss. Aber der Schuss traf Wallander nicht. Es kam überhaupt kein Schuss. Als Ivar Pihlak den Abzug durchdrückte, erfolgte eine heftige Explosion. Metallsplitter der alten Waffe trafen Ivar Pihlak in die Stirn, rissen ein tiefes Loch auf, und Ivar Pihlak war tot, bevor er auf dem Boden auftraf.

Wallander saß lange vollkommen reglos auf dem Küchenboden. Er spürte nichts als eine unsagbare Freude. Er lebte, aber der alte Mann war tot. Die Waffe, die Ivar Pihlak in den Händen gehalten hatte, gehorchte ihm in den letzten Augenblicken seines Lebens nicht mehr.

Langsam kam Wallander hoch und wankte hinaus zum Wagen. Er rief Martinsson an und berichtete, was geschehen war.

Er blieb draußen auf dem Hof im kalten Wind und wartete. Er dachte an nichts und wollte nichts. Es war mehr als genug, dass er noch lebte.

Nach vierzehn Minuten sah er das erste Blaulicht näher kommen.

26.

Zwei Wochen später, wenige Tage vor Weihnachten, begleitete Linda ihren Vater hinaus auf den Hof in Löderup. Sie hatte darauf bestanden, dass er noch einmal einen Besuch dort machte. Dann könnte er Martinsson die Schlüssel zurückgeben und nach einem anderen Haus suchen.

Es war ein kalter und klarer Tag. Wallander war schweigsam und hatte seine Mütze tief in die Stirn gezogen. Sie gingen im Garten umher, und Linda wollte auch ins Haus, um zu sehen, wo Ivar Pihlak gestorben war und wo ihr Vater geglaubt hatte, sein letztes Stündchen sei gekommen. Wallander zeigte und deutete und murmelte. Aber als Linda Fragen stellen wollte, schüttelte er nur den Kopf. Es gab nichts mehr zu sagen.

Nach dem Besuch im Haus fuhren sie gemeinsam zurück nach Ystad und gingen zum Essen in eine Pizzeria. Gerade als das Essen kam, wurde ihm übel. Der Anfall war heftig und kam wie aus dem Nichts. Er erreichte gerade noch die Toilette, bevor es zu spät war.

Linda sah ihn fragend an, als er zurückkam.

»Bist du krank?«

»Es ist mir vielleicht erst jetzt klar geworden, wie wenig gefehlt hat, und ich wäre tot gewesen.«

Er sah, dass es auch für sie jetzt erst vorstellbar wurde. Sie saßen lange schweigend am Tisch. Das Essen wurde kalt. Später dachte Wallander, dass sie sich kaum einmal so nah gewesen waren wie in diesen Minuten.

Am Morgen danach ging Wallander früh ins Präsidium. Er klopfte an Martinssons Tür. Das Zimmer war leer. Aus einem anderen Raum hörte man ein Radio, aus dem Weihnachtslieder ertönten. Wallander trat ins Zimmer und legte das Schlüsselbund mitten auf Martinssons Schreibtisch.

Dann verließ er das Präsidium und ging zu Fuß hinunter ins Stadtzentrum. Es schneite, Schneematsch lag auf den Bürgersteigen.

Wallander blieb vor der größten Maklerfirma der Stadt stehen. Die Fenster waren schön anzuschauen und voller Abbildungen von Häusern zwischen Ystad und Simrishamn, die zu verkaufen waren.

Wallander schnäuzte sich in die Finger. Es gab ein Haus in der Nähe von Kåseberga, das ihn interessierte.

Er ging hinein. Im gleichen Augenblick, in dem er durch die Tür trat, verwandelten sich alle Gedanken an Ivar Pihlak und seine Geschichte in eine Erinnerung. Die ihn vielleicht in der Zukunft noch einmal heimsuchen, die aber von nun an nur eine Erinnerung sein würde.

Wallander blätterte in Katalogen und sah sich Fotografien verschiedener Häuser an.

Für das Haus in der Nähe von Kåseberga, das er im Schaufenster gesehen hatte, verlor er jedes Interesse. Das Grundstück war zu klein, die Nachbarhäuser lagen zu nah. Er blätterte weiter. Es gab viele Häuser und abgeteilte Höfe zur Auswahl. Aber die meisten waren zu teuer. Ein armer Polizist muss vielleicht in einer Wohnung leben, dachte er ironisch.

Aber er hatte nicht die Absicht, klein beizugeben. Er würde sein Haus finden, und er würde sich einen Hund anschaffen. Im nächsten Jahr würde er die Mariagatan für immer verlassen. Er hatte sich entschieden.

Am Tag nach Wallanders erstem Besuch beim Immobilienmakler lag eine dünne weiße Schneedecke über der Stadt und den braunen Äckern.

Weihnachten war kalt in diesem Jahr. Von der Ostsee zogen raue Winde landeinwärts.

Der Winter war nach Schonen gekommen.

Nachbemerkung

Diese Geschichte wurde vor vielen Jahren geschrieben. In Holland hatte man die Idee, dass jeder, der in einem bestimmten Monat, dem *Monat des spannenden Buchs,* einen Kriminalroman kauft, ein Buch gratis bekommen soll. Ich wurde gefragt, ob ich es schreiben wollte. Die Idee war gut; mehr Menschen fürs Lesen zu gewinnen.

Das Buch erschien. Viele Jahre später beschloss die BBC, den Text als Grundlage für das Drehbuch zu einem Film zu verwenden, in dem Kenneth Branagh den Kommissar Wallander spielt. Ich sah den Film und fand, dass die Geschichte immer noch Leben hatte.

Chronologisch ist sie vor *Der Feind im Schatten* angesiedelt, dem letzten Roman der Wallander-Serie.

Weitere Erzählungen über Kurt Wallander gibt es nicht.

Henning Mankell
Göteborg, im Oktober 2012

Anhang

Nachwort

Henning Mankell
Wie es anfing, wie es endete und was dazwischen geschah

In einem Karton ganz unten im Keller liegen ein paar staubige Tagebücher. Sie reichen zeitlich weit zurück. Seit 1965 ungefähr habe ich Tagebuch geschrieben, mit unregelmäßiger Regelmäßigkeit, könnte man sagen. In ihnen gibt es alles, von aphoristischen Versuchen bis zu reinen Notizen über Dinge, die ich möglichst am darauffolgenden Tag nicht vergessen haben wollte. Die Tagebücher sind voller Lücken, manchmal monatelang. Doch bisweilen habe ich jeden Tag geschrieben.

So auch im Frühjahr 1990. Ich war von einem längeren Aufenthalt in Afrika zurückgekehrt, wo ich damals halbjahresweise wohnte. Zuhause stellte ich schnell fest, dass sich rassistische Tendenzen in Schweden erschreckend verbreitet hatten, während ich fort war. Unser Land ist niemals ganz frei von diesem gesellschaftlichen Übel gewesen. Aber jetzt sah ich, dass es dramatische Ausmaße angenommen hatte. Einige Monate später beschloss ich, über Rassismus zu schreiben. Eigentlich hatte ich andere Pläne gehabt, aber dies schien mir wichtig.

Viel wichtiger.

Als ich darüber nachdachte, welche Art von Geschichte es werden sollte, kam ich schnell zu dem Schluss, dass ein Kriminalroman das Natürlichste wäre. Ganz einfach deshalb, weil in meiner Auffassung rassistische Handlungen kriminell sind. Die logische Folge war, dass ich einen Ermittler brauchte, einen Kriminalexperten, einen Polizisten.

An einem Tag im Mai 1990 schreibe ich in mein Tagebuch – kaum lesbar für jemand anderen als mich selbst: »Der wärmste Tag in diesem Frühling. Bin über die Felder gegangen. Viel Vogelgesang. Mir wurde klar: Dem Polizisten, den ich beschreiben will, muss bewusst sein, wie schwer es ist, ein guter Polizist zu sein. Verbrechen verändern sich in dem Maße, wie eine Gesellschaft sich verändert. Wenn er seine Arbeit gut machen soll, muss er wissen, was in der Gesellschaft passiert, in der er lebt.«

Ich wohnte damals in Skåne, mitten im sogenannten »Wallanderland«, auf einem Hof am Rande des Dorfes Trunnerup. Vom Hofplatz aus konnte ich das Meer und viele Kirchtürme sehen. Als ich von meinem Spaziergang zurückkam, holte ich das Telefonbuch heraus. Zuerst fand ich den Vornamen Kurt. Er war kurz und angenehm normal. Dazu würde ein längerer Nachname passen. Ich suchte lange und landete bei Wallander. Auch das klang weder zu gewöhnlich noch zu ungewöhnlich.

So sollte er also heißen, mein Polizist. Kurt Wallander. Und ich gab ihm das gleiche Geburtsjahr, das ich habe, 1948. (Auch wenn Pedanten meinen, dass dies nicht in allen Büchern übereinstimmt. Sicherlich nicht, möchte ich sagen. Aber was stimmt schon im Leben?)

Alles, was man schreibt, reiht sich in eine Tradition ein. Autoren, die glauben, außerhalb jeder literarischen Tradition zu stehen, lügen. Man wird nicht aus dem Nichts heraus Künstler.

Als ich überlegte, wie ich *Mörder ohne Gesicht* schreiben sollte, merkte ich, dass die beste und elementarste »Kriminalgeschichte«, die ich mir vorstellen konnte, das klassische griechische Drama ist. Diese Tradition ist mehr als zweitausend Jahre alt. Ein Stück wie *Medea,* das von einer Frau handelt, die ihre Kinder tötet, weil sie eifersüchtig auf ihren Mann ist, zeigt den Menschen im Spiegel des Verbrechens. Es verdeutlicht die Gegensätze und Widersprüche, die es zwischen uns und in uns gibt. Zwischen Individuen und Gesellschaft, zwischen Traum und

Wirklichkeit. Manchmal schlagen diese Spannungen in Gewalt um, zum Beispiel als Rassenkämpfe. Und dieser Spiegel des Verbrechens geht zurück bis zu den griechischen Autoren. Sie inspirieren uns noch heute. Der einzige Unterschied zwischen damals und heute ist, dass es damals noch kaum ein Polizeiwesen gab. Konflikte wurden auf andere Weise gelöst. Oft waren es die Götter, die über die Schicksale der Menschen bestimmten. Aber das ist eigentlich der einzige grundlegende Unterschied.

Der große dänisch-norwegische Autor Aksel Sandemose hat einmal sinngemäß gesagt: »Das Einzige, worüber es sich lohnt zu schreiben, sind Liebe und Mord.« Vielleicht hat er recht. Hätte er noch Geld hinzugefügt, dann hätte er eine Dreieinigkeit geschaffen, die auf die eine oder andere Weise in jedem Stück Literatur enthalten ist, heute wie damals, und vermutlich auch in Zukunft.

Ich habe den Roman ohne jeden Gedanken daran geschrieben, dass es mehrere Wallander-Bücher werden könnten. Aber nachdem der Roman herausgekommen war und zudem einen Preis bekommen hatte, begriff ich, dass ich möglicherweise ein Instrument gefunden hatte, auf dem sich weiter spielen ließe. Es kam zu einem weiteren Buch, *Hunde von Riga,* das davon erzählt, was nach dem Fall der Berliner Mauer in Europa geschah. Ich flog nach Riga und dachte danach immer wieder, ich müsste eigentlich auch ein Buch über diese Wochen schreiben, die ich in Lettland verbracht hatte. Es war eine merkwürdige Zeit. Die Spannungen zwischen Russen und Letten waren noch nicht explodiert. Aber als ich mit einem lettischen Polizisten sprechen wollte, musste dies heimlich in einer spärlich beleuchteten Kneipe geschehen. Viel von der Atmosphäre bekam ich zwangsläufig mit, weil es so schwierig war, sich in einem Land zu bewegen, in dem diese politischen Spannungen schwelten.

Doch auch nach dem zweiten Buch war ich noch nicht davon überzeugt, dass es eine Fortsetzung der Serie über Kurt Wallander geben würde. Aber am 9. Januar 1993 setzte ich mich in meiner kleinen Wohnung in Maputo hin, um mein drittes Buch zu schreiben. Es sollte *Die weiße Löwin* heißen und von der Situation in Südafrika handeln. Nelson Mandela war einige Jahre zuvor aus dem Gefängnis entlassen worden. Doch noch immer herrschte große Angst davor, dass ein Bürgerkrieg ausbrechen könnte, der das Land ins Chaos stürzen würde. Man brauchte nicht lange nachzudenken, um zu dem Schluss zu kommen, dass die Ermordung Mandelas das Schlimmste wäre, was jetzt hätte passieren können. Dann wäre ein Blutbad durch nichts mehr zu verhindern gewesen.

Kurz bevor ich mich daransetzte, das Buch zu schreiben, wurde ich sehr krank. Ich hatte mich schon länger kränkelnd durch Maputo geschleppt, müde, bleich und schlaflos. Hatte ich vielleicht Malaria? Aber bei den Tests wurden keine Parasiten in meinem Blut gefunden. Da traf ich eines Tages einen Freund, der mich ansah und sagte: »Du bist ja ganz gelb im Gesicht!«

Ich erinnere mich nicht, wie ich ins Krankenhaus in Johannesburg gekommen bin. Dort wurde eine aggressive Gelbsucht festgestellt, die ich allzu lang verschleppt hatte.

Ich lag im Krankenhaus und dachte mir nachts die Geschichte aus. Als ich gesund war und nach Maputo zurückfahren konnte, hatte ich sie so weit fertig. Wenn ich mich richtig erinnere, schrieb ich die letzte Seite zuerst. Dort wollte ich hin!

Am 10. April desselben Jahres, als ich das Manuskript bereits an meinen Verleger geschickt hatte, bestätigte sich auf schreckliche Weise, dass ich richtiggelegen hatte. Ein fanatischer Apartheidsanhänger erschoss am Karfreitag Chris Hani, den Sprecher der kommunistischen Partei Südafrikas und zweiten Mann des African National Congress. Ein Bürgerkrieg brach dank Nelson Mandelas kluger Politik nicht aus. Aber ich frage mich noch heute, was geschehen wäre, wenn nicht Chris Hani, sondern Mandela das Opfer gewesen wäre.

Über die Wallander-Romane wird manchmal gesagt, dass sie Ereignissen vorgegriffen haben, die später tatsächlich eingetreten sind. Ich glaube, das stimmt. Ich bin fest davon überzeugt, dass es nicht unmöglich ist, in gewisser Weise die Zukunft zu erahnen. Dass wir es in Schweden und Westeuropa mit einer neuen Form der Kriminalität zu tun bekommen würden, wenn die Sowjetunion zusammenbrach und die Ostblockstaaten geöffnet würden, schien mir selbstverständlich. Und so kam es auch. Dem Roman *Der Mann, der lächelte* liegt der schlimmste Raub zugrunde, den man begehen oder der an einem begangen werden kann, und das heißt eben nicht, dass jemandem sein Besitz gestohlen wird. Hier wird ein Teil eines Menschen gestohlen, ein Organ, das dann zu Transplantationszwecken weiterverkauft wird. Als ich anfing dieses Buch zu schreiben, wusste ich, dass ein solcher Handel zunehmen würde. Heutzutage ist es eine gut laufende Industrie, die stetig wächst.

Natürlich habe ich mich gefragt, warum Wallander in so vielen verschiedenen Ländern und Kulturen so beliebt geworden ist. Was führte eigentlich dazu, dass er zum Freund so vieler Menschen wurde? Eine eindeutige Antwort gibt es wohl nicht. Aber vielleicht gibt es Teilerklärungen. Hier eine, die mir am wahrscheinlichsten scheint:

Vom ersten Augenblick an, schon während jenes Frühlingsspaziergangs über die Felder, war mir klar, dass ich einen Menschen schaffen musste, der so war wie ich und wie der unbekannte Leser. Ein Mensch, der sich ständig veränderte, sowohl mental als auch physisch. Genauso wie ich mich stetig änderte und entwickelte.

Dies führte bald zu dem, was ich etwas ironisch das »Diabetessyndrom« nenne. Nach dem dritten Roman fragte ich Victoria, eine befreundete Ärztin, die die Bücher gelesen hatte: »Welche Volkskrankheit würdest du diesem Mann geben?« Ohne zu zögern antwortete sie: »Diabetes.«

So bekam Wallander Diabetes, als ich das nächste Mal über ihn schrieb. Und das machte ihn noch beliebter.

Niemand kann sich vorstellen, dass James Bond auf der Jagd nach einem Schurken plötzlich stehen bleibt, um sich Insulin zu spritzen. Aber Wallander kann das tun, und deshalb ist er ein Mensch wie jeder andere auch; einer, der von Krankheiten, Schwächen und Problemen heimgesucht wird. Er hätte Rheuma oder Gicht bekommen können, Herzrhythmusstörungen oder gefährlich hohen Blutdruck. Aber es wurde Diabetes, und daran leidet er bis zum Schluss, auch wenn er die Krankheit unter Kontrolle hat.

Natürlich gibt es noch andere Gründe dafür, dass Wallander so viele Leser hat. Aber ich glaube, das Ausschlaggebende ist seine Wandelbarkeit. Es ist eigentlich ganz einfach: Ich kann nur Bücher schreiben, die ich auch selbst lesen möchte. Und eine Geschichte, in der ich entweder schon nach der ersten Seite alles über die wichtigste Person weiß, oder merke, dass mit ihm oder ihr auf den nächsten tausend Seiten nichts passieren wird, könnte ich nicht lesen.

In der Welt der Kunst kann man sich Freunde machen. Sherlock Holmes bekommt noch immer Briefe in die Baker Street in London. Ich selbst bekomme Briefe, E-Mails und Anrufe aus vielen Ländern. Ich werde auf der Straße angesprochen, in Göteborg wie auch in Hamburg. Es sind freundliche Fragen, und ich antworte, so gut ich kann.

Meist sind es Frauen, die sich melden, und die Wallander von seiner Einsamkeit heilen wollen. Auf solche Briefe antworte ich selten. Ich glaube auch nicht, dass diejenigen, die sie schreiben, eine Antwort erwarten. Die Menschen sind doch trotz allem recht vernünftig. Man kann nicht mit einer literarischen Figur zusammenleben, so gerne man das auch möchte. Man kann sie als imaginären Freund haben, den man hervorholen kann, wenn man ihn braucht. Die Aufgabe der Kunst ist es unter anderem, den Menschen Weggefährten zu schenken. Ich habe auf Gemälden Menschen gesehen, von denen ich hoffe, ihnen eines Tages auf der Straße zu begegnen. In Büchern oder Filmen gibt es Menschen, die am Ende so lebendig erscheinen, dass wir fast erwarten, sie an der nächsten Ecke vor uns auftauchen zu sehen. Wallander ist einer dieser Menschen, die sich hinter so einer Ecke verbergen. Aber sie kommen nie hervor, um sich zu zeigen. Zumindest mir zeigen sie sich nicht.

Einmal hat es mir fast die Sprache verschlagen. Das war 1994. In Schweden sollten wir darüber abstimmen, ob wir in die EU wollten oder nicht. Ich ging die Vasagatan in Stockholm entlang. Ein älterer Mann sprach mich an. Er war sehr freundlich und versiert und fragte, ob ich derjenige wäre, für den er mich hielt. Ich antwortete: Ja. Da sagte er: »Ich frage mich, ob Kurt Wallander für oder gegen die EU stimmen würde.«

Seine Frage war ernst gemeint. Daran zweifelte ich keinen Augenblick. Seine Neugier war echt. Aber was sollte ich antworten? Ich hatte natürlich nie darüber nachgedacht. Ich überlegte schnell, was ich über das eventuelle Interesse der schwedischen Polizei an einem EU-Beitritt wusste. Schließlich sagte ich: »Ich glaube, er würde für das Gegenteil dessen stimmen, was ich möchte.«

Und dann ging ich, ohne dem freundlichen Mann die Möglichkeit zu geben, weitere Fragen zu stellen.

Dieses Mal stimmte ich gegen die Mitgliedschaft. Wallander hat also dafür gestimmt, davon bin ich überzeugt.

Eine Frage, die mir häufig gestellt wird, ist, welche Bücher Wallander liest. Das ist eine gute Frage, denn sie ist schwer zu beantworten. Manchmal habe ich gedacht, er liest die Art von Büchern, die ich schreibe. Aber ganz sicher bin ich mir nicht. Leider glaube ich auch nicht, dass Wallander besonders gerne liest, und bedauerlicherweise liest er wohl kaum Poesie. Aber ich stelle mir vor, dass er sich für Geschichte interessiert, Sachbücher und historische Romane. Und ich glaube, er hegt eine alte Liebe für die Bücher über Sherlock Holmes.

Manche Menschen glauben, das, was ich jetzt erzählen werde, habe nichts mit der Wahrheit zu tun. Aber das hat es. Es ist kein Mythos. Es ist wirklich passiert:

Vor ungefähr fünfzehn Jahren fing ich an, wieder ein Buch zu schreiben, in dem Wallander die Hauptrolle spielen sollte. Ich schrieb etwa hundert Seiten – das ist die Grenze, ab der ich ernsthaft anfange daran zu glauben, dass es ein Buch werden wird. Aber das wurde es nicht. Nach ein paar weiteren Seiten hörte ich auf und verbrannte – buchstäblich – alles, was ich ausgedruckt hatte. Außerdem löschte ich die Datei, und als ich kurze Zeit später den Computer auswechselte, zerstörte ich die alte Festplatte. Ich glaube behaupten zu können, dass es keinerlei Einsen und Nullen mehr gibt, die sich verwenden ließen, um die hundert Seiten wiederherzustellen.

Ich schrieb den Roman nie zu Ende, weil er mir zu grausam war. Ich brachte es nicht über mich. Er sollte von Kindesmissbrauch handeln. Heute sehe ich natürlich ein, dass ich ihn hätte schreiben sollen. Kindesmissbrauch ist eines der schlimmsten Verbrechen in der heutigen Welt. Schweden bildet da keine Ausnahme. Aber zu dem Zeitpunkt wurde es mir zu viel. Ich konnte es einfach nicht.

Ich kann verstehen, wenn es Leute gibt, die das nicht glauben können. Schließlich habe ich in meinen Büchern Dinge beschrieben, die ebenfalls grauenhaft zu nennen sind. Ich kann dazu nur sagen, dass viele Seiten mir schwer zu schaffen machten, als ich sie zu Papier brachte. Aber ich weiß auch, dass das, was im täglichen Leben passiert, immer schlimmer ist, als das, was ich beschreibe. Meine Fantasie kann die Wirklichkeit niemals übertreffen. Deshalb muss ich manchmal über furchtbare Dinge schreiben, um meine Glaubwürdigkeit nicht zu verlieren.

Nach *Die weiße Löwin* wusste ich, dass das Phänomen Wallander tatsächlich ein nützliches Instrument war. Im selben Moment wurde mir aber auch klar, dass ich mich vor dem Charakter, den ich geschaffen hatte, in Acht nehmen musste. Von jetzt an bestand immer die Gefahr, dass ich vergaß, mit dem ganzen

Orchester zu spielen, und ihn einsam ins Horn stoßen ließ. Für mich war immer wichtig: Zuerst kommt die Geschichte. Immer. Und dann musste ich schauen, ob Wallander ein gutes Instrument für ebendiese Geschichte war oder nicht.

Regelmäßig sagte ich mir: Jetzt mache ich etwas anderes. Ich schrieb Bücher, in denen er nicht vorkam, Romane, die nicht von Verbrechen handelten, Theaterstücke. Anschließend konnte ich zu ihm zurückkehren, ihn wieder loslassen, etwas anderes schreiben, ihn wieder verwenden.

Immer hatte ich eine warnende Stimme in mir. »Du musst rechtzeitig aufhören.« Mir war das Risiko bewusst, dass ich mich eines Tages fragen könnte: »Was soll ich mir jetzt für ihn ausdenken?« Dass er und nicht die Geschichte an die erste Stelle träte. Dann wäre es an der Zeit gewesen, aufzuhören. Ich glaube, dass ich heute mit Recht sagen kann, dass dies nie passiert ist, dass Wallander nie wichtiger wurde als die Geschichte selbst. Wallander ist nie zu einer Belastung geworden.

Doch es gab auch noch ein anderes Warnsignal, das in mir tickte: Ich durfte beim Schreiben nicht in Routine verfallen. Wenn das geschähe, würde ich in eine gefährliche Klemme geraten. Es würde bedeuten, sowohl den Lesern als auch mir selbst zu wenig Respekt zu erweisen. Die Leser würden teures Geld für ein Buch bezahlen, nur um festzustellen, dass der Autor müde geworden war und im Leerlauf schrieb. Und für mich selbst hätte sich meine Autorschaft in etwas verwandelt, das mich nicht mehr erfüllte.

Deshalb habe ich aufgehört, als es noch Spaß machte. Der Entschluss, das letzte Buch zu schreiben, zog sich hin. Es dauerte ein paar Jahre, bis ich bereit war, den letzten Punkt zu setzen. Den setzte übrigens meine Frau Eva. Ich hatte das letzte Wort geschrieben und bat sie, die Taste mit dem Punkt zu drücken. Das tat sie. Und damit war das Märchen zu Ende.

Und jetzt? Da ich mit ganz anderen Büchern arbeite? Ich werde oft gefragt, ob er mir fehle. Dann antworte ich so, wie es ist: »Er sollte nicht mir fehlen, sondern dem Leser.«

Ich denke nie an Wallander. Für mich ist er jemand, der in meinem Kopf existiert. Die drei Schauspieler, die ihn in Film und Fernsehen gespielt haben, haben in großartiger Weise ihre ganz eigene Version erzählt. Das hat mir viel Freude gemacht.

Aber er fehlt mir nicht. Und ich habe nicht Sir Arthur Conan Doyles Fehler wiederholt, der seinem Herrn Holmes halbherzig das Leben genommen hat. Ausgerechnet die letzte Geschichte über Sherlock Holmes ist eine der am wenigsten gelungenen. Wahrscheinlich, weil Doyle tief in seinem Innern wusste, dass er da etwas tat, was er bereuen würde.

Zuweilen werde ich auf der Straße angesprochen und gefragt, ob ich nicht doch noch einen Wallander schreiben werde. Und wie das eigentlich mit seiner Tochter Linda sei, die auch Polizistin wurde? Hatte ich nicht einmal gesagt, dass sie zukünftig die Hauptrolle spielen würde? Hatte ich nicht vor zehn Jahren ein erstes Buch über sie geschrieben, *Vor dem Frost*?

Ich will nicht ganz ausschließen, dass es noch ein oder mehrere Bücher geben wird, in denen Linda Wallander die Geschichte vorantreibt. Aber sicher bin ich mir nicht. In meinem Alter werden die Grenzen enger. Die Zeit, die immer knapp ist, wird es in noch höherem Maße. Ich muss mich immer klarer entscheiden, was ich *nicht* tue. Das ist die einzige Möglichkeit, die Zeit, die ich habe – und niemand weiß, wie lang sie sein wird – für das zu nutzen, was mir am wichtigsten ist. Aber ich bereue nicht eine Zeile der Tausenden von Seiten, die ich über Wallander geschrieben habe. Ich glaube, dass die Bücher vor allem deshalb lebendig sind, weil sie in vielerlei Hinsicht ein Spiegel der Zeit für die Neunziger- und Zweitausenderjahre in Schweden und Europa sind. Romane über die »schwedischen Unruhen«, wie ich die Wallander-Reihe früher genannt habe. Wie lange die Texte dann weiterleben, hängt von ganz anderen Faktoren ab: Was in der Welt geschieht, was aus dem Lesen wird.

Die Zeit vergeht in mehrfacher Hinsicht schwindelerregend schnell. Den ersten Wallander-Roman habe ich, zumindest zur Hälfte, auf einer alten Schreibmaschine der Marke Halda geschrieben. Heute kann ich mich kaum noch erinnern, wie es sich anfühlt, eine Schreibmaschinentaste zu drücken.

Auch die Bücherwelt verändert sich dramatisch. Das hat sie schon immer getan. Aber man muss dabei bedenken, dass sich vor allem die *Distribution* von Büchern verändert, nicht das Buch an sich. Dieses Gefühl, zwei Buchdeckel mit Inhalt in den Händen zu halten. Sicherlich werden bald immer mehr Menschen E-Reader mit ins Bett nehmen. Aber das Buch als Körper wird nicht verschwinden. Ohne in irgendeiner Weise rückwärtsgewandt zu sein, glaube ich, dass mehr und mehr Menschen zu diesem Buchkörper zurückkehren werden. Ob ich recht habe oder nicht, wird sich zeigen.

Jetzt ist jedenfalls meine Geschichte über Kurt Wallander zu Ende. Wallander hat das Pensionsalter erreicht und wandert in seinem Land der Dämmerung umher, mit seinem schwarzen Hund, der Jussi heißt. Wie lange er noch hier auf Erden wandeln wird, weiß ich nicht. Das muss er schon selbst entscheiden.

Aus dem Schwedischen von Hanna Granz

Die Wallander-Romane

in der Reihenfolge
ihres Erscheinens in Schweden

Mörder ohne Gesicht

(Handlungszeitraum: Januar bis August 1990)

Kommissar Wallanders erster Fall. Auf einem abgelegenen Hof in der Nähe von Ystad wird ein altes Paar überfallen und auf unerklärlich grausame Weise getötet. »Ausländer! Ausländer!« waren die letzten Worte der sterbenden Frau. Als die Öffentlichkeit davon erfährt, wird Schonen von einer Welle ausländerfeindlicher Gewalt überrollt. Ein Heim für Asylbewerber geht in Flammen auf, und ein somalischer Flüchtling wird Opfer eines Mordes. Wallander selbst wird von einem anonymen Anrufer verfolgt und bedroht. Er begreift, dass die Ermittlungen ein Kampf gegen die Zeit sind. Und gegen einen erbarmungslosen Widersacher. Einen Mörder ohne Gesicht.

Hunde von Riga

(Handlungszeitraum: Februar bis Mai 1991)

An einem kalten Februartag des Jahres 1991 wird ein Rettungsboot bei Mossby Strand an die schwedische Küste getrieben. Darin liegen zwei Männer, beide tot, und wie Kurt Wallander feststellt, schon vor Tagen ermordet. Die Spuren führen ins Baltikum, und als auch der lettische Kollege, der in der Sache ermittelt, ermordet wird, muss Wallander selbst nach Riga reisen. Die Schatten der Vergangenheit liegen schwer über Lettland. Wallander verliebt sich in Baiba Liepa, die Frau des ermordeten Polizisten, der zu viel wusste über die Verbrechen in seinem Land. Sie ist die erste Frau seit Langem, für die er eine große Liebe empfindet, und sie unterstützt ihn bei seinen waghalsigen Ermittlungen, die tief hineinführen in ein perfides Komplott.

Die weiße Löwin

(Handlungszeitraum: April bis Juni 1992)

Am Nachmittag des 24. April 1992 wird Luise Åkerblom, eine schwedische Immobilienmaklerin, in Schonen ermordet. Kurz darauf fliegt ein einsam gelegenes Haus gewaltsam in die Luft. Und neben den Teilen einer russischen Funkanlage und dem verkohlten Kolben einer Pistole, die aus Afrika zu stammen scheint, machen die Kriminaltechniker noch einen weiteren grausigen Fund. »Was ist nur los?«, dachte Wallander. »Ein schwarzer Finger. Der Finger eines schwarzen Menschen. Abgehackt. Mitten in Schonen.« Was zunächst wie ein tragischer, aber lokal begrenzter Fall aussieht, erweist sich als politischer Mordplan von internationaler Tragweite. In Südafrika hat eine reaktionäre Burenorganisation beschlossen, Nelson Mandela durch ein Attentat aus dem Weg zu räumen. Wallander begreift, dass das Schicksal von Hunderttausenden auf dem Spiel steht.

Der Mann, der lächelte

(Handlungszeitraum: Oktober bis Dezember 1993)

Von Selbstzweifeln geplagt, ist Kommissar Wallander im Begriff, den Dienst zu quittieren, als ihn ein neuer Fall aus seiner Depression reißt. Der Anwalt Sten Torstensson bittet Wallander um Hilfe: Sein Vater ist nachts mit dem Auto tödlich verunglückt, doch er glaubt nicht an einen Unfall. Zwei Wochen später ist Sten Torstensson ebenfalls tot. Man findet ihn von drei Kugeln durchbohrt in seinem Büro. Wallander erkennt rasch, dass ihn dieser Fall in eine ganz neue Dimension des Verbrechens führt. Der Verdächtige gebietet über ein mächtiges Wirtschaftsimperium und hat sich hinter den dicken Mauern eines Schlosses verschanzt. Wie David im Kampf gegen Goliath fühlt sich Wallander, bis ihm die Tür von einem der Wächter des Magnaten wenigstens einen Spaltbreit geöffnet wird

Die falsche Fährte

(Handlungszeitraum: Juni bis September 1994)

Sommer 1994, der wärmste Sommer seit Jahren. Kurt Wallander macht Ferienpläne. Da ruft ihn ein verstörter Bauer um Hilfe, dem auf einem seiner Felder das merkwürdige Verhalten eines Mädchens aufgefallen ist. Als Wallander eintrifft, legt das Mädchen Feuer an sich und verbrennt vor seinen Augen. Kurz darauf schlägt ein Serienkiller mit einer Reihe brutaler Morde zu. Der Kommissar aus Ystad steht vor einem seiner kompliziertesten Fälle. Gesucht wird ein Serienkiller, der in der Maske des Indianers auf den Kriegspfad geht, seine Opfer mit einer Axt tötet und anschließend skalpiert. Aber nicht nur der Mörder agiert mit erschreckender Kaltblütigkeit, die Ermordeten haben selbst skrupellose und gemeine Verbrechen begangen. Eine literarische Ermittlung, die ins Herz der Gesellschaft zielt.

Die fünfte Frau

(Handlungszeitraum: September bis Dezember 1994)

Kurt Wallander ist zutiefst beunruhigt über die zunehmende Gewalt in seinem Distrikt. Denn er hat eine Reihe grausamer Morde aufzuklären, bei denen es auch dem erfahrensten Polizisten kalt den Rücken hinunterläuft. Einen alten Mann findet man in einer Pfahlgrube aufgespießt, einen anderen halb verhungert, beinahe nackt an einen Baum gebunden und erwürgt. Ein dritter wurde in einem mit Steinen beschwerten Sack in einem See ertränkt. Der eine schrieb Gedichte und war ein Vogelliebhaber, der andere besaß einen Blumenladen und hatte sich auf Orchideen spezialisiert, der dritte war Forscher an der Universität. Warum verfolgt der mutmaßliche Mörder harmlose Bürger mit so brutaler Gewalt? Wallander begreift, dass es irgendwo in der Vergangenheit eine Geschichte geben muss, die diese Männer mit ihrem Henker verbindet.

Mittsommermord

(Handlungszeitraum: Juni bis Oktober 1996)

Samstag, 22. Juni 1996. Drei junge Leute um die zwanzig feiern zusammen Mittsommer. Sie tragen Kostüme des 18. Jahrhunderts und halten den Ort ihres Treffens streng geheim. Danach hat sie niemand mehr gesehen. Bald stellt sich die schreckliche Gewissheit ein: Es ist ein Verbrechen geschehen. Etwa zur gleichen Zeit findet man Svedberg, Wallanders Kollegen, mit zerschossenem Gesicht in seiner Wohnung. Ein skrupelloser Mörder treibt sein Unwesen. Und er weiß Dinge, die er eigentlich nicht wissen kann. Wallander muss all seinen Mut aufbieten, um die richtigen Schlüsse zu ziehen. Führte Svedberg in Wahrheit ein Doppelleben? Warum waren die drei Jugendlichen verkleidet? Und wieso hatte es der Täter auf junge, glückliche Menschen abgesehen?

Die Brandmauer

(Handlungszeitraum: Oktober bis November 1997)

Zwei junge Mädchen überfallen einen Taxifahrer, betäuben ihn und töten ihn mit einem Küchenmesser. Als die Polizei sie verhört, zeigen sie keinerlei Schuldgefühle. Ein Mann fällt vor einem Bankautomaten tot um. Seine Leiche wird aus der Pathologie gestohlen und wieder an den ursprünglichen Fundort transportiert. In ganz Schonen geht das Licht aus. In der Transformatorstation liegt eine verkohlte Leiche. »Wallander hatte noch nie etwas Vergleichbares erlebt. Ein Todesfall, der sich wiederholte. Eine Leiche, die zurückkehrte.« In Wallanders achtem Fall geht es nicht nur darum, ein Computerverbrechen aufzudecken, sondern auch die Brandmauern zu durchbrechen, die Menschen um ihr Innerstes errichten.

Wallanders erster Fall und andere Erzählungen

(Handlungszeitraum: Sommer 1969 bis Ende 1989)

Als Wallander seinen ersten Fall löst, ist er Anfang zwanzig, ein junger Polizeianwärter und bis über beide Ohren in Mona verliebt. In einer Zeit, da die Polizei mit Schlagstöcken gegen Demonstranten vorgeht, wird seine Berufswahl nicht nur von seinem Vater kritisiert. Da findet er eines Abends seinen Wohnungsnachbarn Halén erschossen auf dem Küchenboden liegend, den Revolver noch in der Hand. Die Kriminalpolizei tippt auf Selbstmord, doch Wallander zweifelt an dieser Erklärung, umso mehr, als Haléns Wohnung in Flammen aufgeht und man wenig später auf eine weitere Leiche stößt. Von Wallanders erstem Fall, bei dem er eine Menge Fehler macht und leichtsinnig sein Leben riskiert, bis zu einem kurzen Kriminalroman, *Die Pyramide,* reicht das Spektrum dieser Wallander-Geschichten, die alle vor dem 8. Januar 1990, dem Beginn der eigentlichen Serie, spielen.

Vor dem Frost

(Handlungszeitraum: August bis November 2001)

Ein Kalb wird bei lebendigem Leib verbrannt, und sechs brennende Schwäne sind über dem Marebo-See gesichtet worden. Mehrere Frauen verschwinden, eine Amerikanerin wird in einer Kirche erdrosselt, und ein Lastwagen voll Dynamit lässt den

Dom von Lund in Flammen aufgehen. Linda ist Polizeianwärterin in Ystad und darf Kurt Wallander bei seinen Ermittlungen zunächst nur als Tochter begleiten. Dann aber wird sie persönlich in den Fall hineingezogen: Ihre Freundin Anna ist spurlos verschwunden, kurz nach einer rätselhaften Begegnung mit ihrem Vater, der seit Jahren verschollen war. Linda macht sich auf die Suche nach der Freundin und beginnt, auf eigene Faust zu ermitteln. Und sie verliebt sich: in Stefan Lindman, der als Kriminalbeamter von Borås nach Ystad gewechselt ist. Der Konflikt mit dem Vater ist vorprogrammiert.

Der Feind im Schatten

(Handlungszeitraum: Januar bis Mai 2007)

Russische U-Boote in schwedischen Gewässern, ein Abhörgerät an einem Unterseekabel, Verdacht auf Spionage und Landesverrat: Wallanders letzter Fall ist eine politische Affäre, die mitten in den Kalten Krieg und Schwedens Nachkriegsgeschichte führt. Ein pensionierter Korvettenkapitän verschwindet beim Morgenspaziergang, und neben einem Waldpfad wird eine tote Frau gefunden. Mehr als je zuvor ist Wallander persönlich betroffen, denn im Mittelpunkt der dramatischen Handlung steht die Familie von Lindas Mann, dem Vater seiner kleinen Enkeltochter. Und zugleich taucht eine weitere persönliche Bedrohung am Horizont auf, denn mit Wallanders Gedächtnis steht es nicht mehr zum Besten.

Inhalt